君はリンゴで世界を驚かせるだろう

現代アートの巨匠たちに学ぶ
ビジネスの黄金法則

アートプロデューサー
ARISA

飛鳥新社

序章

「タケオくん、みーつけた！　また水車見てたんだ」

小学校5年生の僕の隠れ場所は、いつも実家のリンゴ園の水車のそばだった。

「お水が流れてて、綺麗（きれい）ね」

「うん、萌音（もね）ちゃんこのリンゴ食べる？」

「ごめん、リンゴって好きじゃないの」

15年後

「タケオ、大阪に転勤ばい」

　暑い8月、この言葉は、僕の人生を変えた。

「ランチんときに、そがんことば伝えてごめん。今日は奢るけん、なんでん好いとうとば食べてよかよ」


　会社の上司が急にお昼に一緒に行こうと誘ってきたので、なぜだろうと思ったのだが、まさか大阪への転勤をドライブイン鳥で聞かされるとは。ちなみに佐賀の特定のエリアでは「肉といえば焼き鳥のことを意味する」というぐらい焼き鳥は生活に根づいている。

　中でもこのドライブイン鳥は、ちょっと強烈な鳥のキャラクターも相まって人気を博していて、日頃から佐賀県民のホームグラウンドのようになっている店だ。僕がここのとりめしが好きなことを知っていて、和んだ雰囲気で話そうとしてくれたのだろう。

「いつから行かんばですか」

「来週には行ってもらわんばいかんね」

「そがん、急がんばですか？」

「君ん取引先の倒産したとよ、しょうがなか」

　地元で成績中位の透明館高校に行き、吹奏楽部の部活でも大した活躍もしていなかった僕だ。堅実な会社と評判の球電工に運よく就職できてからも、絵に描いたような平均的サラリーマンだった。

　大阪へ転勤と言われたのは、取引先の不祥事に気がつかなかったからだ。注意深い担当者なら防げたかもしれないが、僕のミスというほどのことでもない。ミスを現場の責任にするなんて、と怒ってもいいところだったかもしれないが、はっきり言って僕にとっては、どこに転勤になろうが関係ないし、田舎から離れられるのは嬉（うれ）しい限りだった。

「大阪支店はがばい大変てばってん、頑張りんしゃいね」

　新スタートに向けて張り切ろう！　という気持ちにもなれなかったし、都会は楽しみだなという以上の感情は湧（わ）いてこなかった。

　僕は、その〝がばい大変〟の意味を、後で知ることになる。

大阪エアビル

10月1日、転勤先である大阪支店に初出社した日の帰り。「大阪の洗礼」があるとかで、待ち合わせ場所である大阪エアビルの地下にあるお好み焼き店「鳩」に向かった。洗礼と言っても、基本的には歓迎会だ。だが、佐賀ではすべらない自信のあった鉄板ネタを披露したところ、いけすかない感じの同年代の社員から「おもんない話すんなよ」となじられ、そのあとは思ったように話せなくなってしまった。都会への憧れもたった2時間で冷めていく。

（関西人ってきつかあ）

そう思いながら、外に空気を吸いに行こうと店を出たとき、ある言葉に目が留まった。

「日々の生活を抜け出し、夢と憧れに満ちた空の世界へ——空中庭園へようこそ！」

その大きな看板を見上げながら、なんとなく体が勝手にその最上階の空に続く出発ゲート「空中庭園」に向かっていた。夜の屋上は、きっと爽快だろう。

いったん27階でエレベーターが止まる。その階では「サルバドール・ダリ展」という展覧会を催していた。

夜9時まで開催しているらしく、まだ入ることもできそうだったが、アートのことはよくわからないし、入り口のポスターにあるのは気持ち悪い絵ばかりだ。僕でも名前は聞いたことがあるこのアーティストのちょび髭（ひげ）の顔写真を見ても、なんだか胡散臭（うさんくさ）い感じがした。エレベーターの扉が閉まり、また動き出す。

最上階に到着しても、頭の中では、さっきの「おもんない話すんなよ」がこだましている。その瞬間だった。「足元危険！」と書いてある看板に気づかず、僕は真っ逆さまに下に落ちた。

「母ちゃん、助けて！」

目が覚めて辺りを見ると、僕はとっても奇妙な風景の中にいた。時計がグニャッとチーズみたいに曲がって木にぶら下がっている。

でも見覚えがある気もする――そうだ、これはさっき見た絵だ。僕はなぜか、27階で見たサルバドール・ダリの絵の中にいた。

「おまえ、ダレ？」

誰かの声がした。聞かれたことには答えず、思わずこちらから聞き返す。

「僕、生きてる？　ここはどこ？」

「ダリの絵の中じゃ」

目の前では、黒に白いストライプが入った細身のスーツを着て、目をカッと見開き、不自然に上を向いて細くとんがってる髭を触っている、ちょっとめんどくさそうな外国人が僕を見下ろしていた。

「おまえ、この絵を気持ち悪いっておもたやろ？　何もわかろうとせず、第一印象だけで」

「はい、すみません」

いきなり、心を読まれた。一体何が起こっているのかまったくわからなかった。とりあえず起き上がってみようとしたが、尻もちをついてしまう。もう一度踏ん張ってみても、だめだ、立ち上がれない。

「え！　あなたはもしかして……27階で展覧会してた、ダリ？」

「いや、ワイはダリじゃなくて、ダレや。ダリの生まれ変わりや」

「生まれ変わり⁉」

（何言ってんだ、このおっさん）

「ちょっと、待って。ダリは有名だけど、ダレって！　冗談ですか？」

「あーそんなんやったら、何も学ばれへんわなあ……自分が見たことないものを、理解しようとせえへんやつは小さい箱の中で一生生きることになるけど、今のうだつの上がらないサラリーマンのままでいいの？　なあ、嬉野（うれしの）タケオ？」

「なんで僕の名前を？」

今、得体の知れないやつにダメ押しされて、また立ち上がれなくなっている。そんな僕を見てダレは、髭を触りながら、少しにやけ気味に言った。

「人生を変えたいんやろ？」

（何、こいつ！）

いきなり何を言うんだ、と思ったが……実際には痛いところをつかれた。今までなんとなくこのままでいいや、と思っていたが、傷つかないように自分を騙（だま）してきたのかもしれない。本当は自分を変えたいのかもしれない……。

半信半疑で聞いてみる。

「……変えたいです。でもどうやって？」

ダレのにやけ顔がいきなり、怖（こわ）いくらい真剣な表情に変わる。眼球が飛び出そうなくらいの大きな瞳で、僕をキッ！　と睨（にら）むと、両手を広げてこう言った。

「この絵は１９３１年にサルバドール・ダリが描いた『記憶の固執』っていうアート界の歴史に残る大傑作やねんけど、実はカマンベールチーズが溶（と）けてるのを見て、それにヒントを得て描きあげたんよ。おまえ、さっきイメージしてたのピンポーンやん！」

「ただ、そう思っただけで。僕は絵画なんてぜんぜんわかんないです……。うだつの上がらないサラリーマンにアートなんて必要じゃないと思うし……」

「うだつ上がらんって、自分でゆうたら終わりやん。それに、アートが役に立たない、というのがそもそもの間違いなんや！　頭くるわ。むしろ、お前にたりへんのは、アートや。なんとなく才能ありそうやから、特別に巨匠アーティストの教え、伝授したろ思てんのに」

床に体を倒して、絶望しながら、僕は投げやりな感じで言った。

「僕、才能なんてないですよ。もうほんと何をやってもうまくいかないし。今さら変わるなんて無理だと思います」

ダレは、そんな僕のお腹の上に何か小さな紙を落とした。名刺だった。

曽根崎
Barモダン
サルバドール・ダレ
巨匠アーティストの
教え♡伝授します

「ほんま？　でもワイ、大阪のおばちゃんみたいにお節介焼きやねん。せやから、ここに来るんやな。お前の人生を変えたるで」

昭和のきつい香水の匂いと古臭いデザインと共に、怪しい文言が書かれていた。

「曽根崎ＢＡＲ モダン？」

ふと周りを見渡すと、サルバドール・ダリの絵も、ダレの姿も消えている。僕はさっきまでいた〝空中庭園〟のコンクリートに寝転がっていた。

（「日々の生活を抜け出し、夢と憧れに満ちた空の世界へ」って言葉、ホントだったのかな）

まだ漂う昭和の香水の匂いで少し頭痛がしたが、僕はポケットの中の名刺をしっかりと握りしめていた。

この名刺を受け取った者は
もう後戻りはできない。

時空を超えた冒険の中で、読者もアーティスト
たちと出会い、実際に彼らが残した名言の数々
によって、新しい人生へと導かれるだろう。

目次

第1章

ダリに学ぶ「自信」の法則

何かを始める君へ

ＢＡＲモダンは、曽根崎の路地裏にひっそりと佇み、ノスタルジックな雰囲気を醸し出していた。ドアの横には、あの名刺と同じ昭和チックなフォントで〝モダン〟と書かれた看板が、薄暗く光っている。

僕はゴクッと息を呑んで、その昭和チックなドアを開けた。今日もまた上司にこっぴどく怒られ、どんどん惨めな気持ちになってきている。

本当に僕ってだめだわ。頭の中ではまた「洗礼」のときの「おもんない話すんなよ」という言葉がこだましていた。

ＢＡＲモダン

〈チャリン、チャリン〉

「いらっしゃい。……あら、初めてのお客さん？」

薄暗い店内はカウンターしかない隠れ家的な雰囲気で、スタンダードＪＡＺＺのレコードがかかっている。

-Bar-
モダン

どことなく影を漂わせたロマンスグレーの紳士が、カウンター越しに僕に頷いてくれた。恐らくこのＢＡＲモダンのマスターだろう。


次の瞬間、元気な声が響いた。

「いらっしゃいませ！　こちらのカウンターにどうぞ！」

見ると、ツインテールにシンプルな白と黒のワンピース姿の大学生風の女の子が、エントランスの僕のところまで近づいてくる。僕は入り口から一番近いカウンターのえんじ色のベルベットの丸椅子に案内され、軽く腰を掛けた。


「すみません、あの……髭を生やした変わった外国人来てますか？」

「はは、奥のカウンターにいらっしゃいますよ。僕はマスターのトミーです。現代アートが好きで、アートコレクターでもあるんです。どうぞ、よろしく。お飲み物はどうしましょう？」

「アップルマティーニを」

そう答えると、さっきの女の子が近づいてきた。

「わお、アップルマティーニはこのＢＡＲモダンの名物なんですよ！　私はアルバイトのランです。京都平安美術大学に通ってアーティスト目指していて、ユング心理学も勉強中です！」

よく通る声に続いて、かすれた大阪商人のような、聞き覚えのある声がした。

「タケオ、待ってたで～」

あの昭和の香水の匂いと共に、いきなり横にダレが座っていた。一瞬の隙に奥の席からどうやって移動したんだ？　全然気がつかなかった。しかも僕のアップルマティーニをすすっている。

「冗談かと思ったんですが、本当にいたんですね」

「今日も落ち込み君（くん）なん？」

ダレは、頬に手を当てて「Ｏｈ ＮＯ！」と困ったちゃんの顔をした。

「さすが、お見通しですね。日本全国どこで営業しても一緒だと思ってたんですが、大阪での営業はマジできつい、怒られてばっかり。やっぱり僕、何をやってもダメなんです」

ダレは、ふふと笑いながら話を続けた。

「タケオまだ気づいてない、この僕ちゃんがバックにいるってことに。

天才になりたかったら、天才のふりをすればいい。

これサルバドール・ダリの名言。何も真似したくないと思うものは、何も生み出さないんやで」

僕が注文したアップルマティーニを飲み干して、また2杯目を頼もうとしているダレの目がキラッと光った。

「そんな簡単な……それって、あなたの真似をすればいいんですか。じゃあ、そのヒゲはどうやって作れば？　っていうか、それは本物？」

ダレの頬にそびえたつ髭をマジマジと覗き込みながら、僕は首を傾げ腕組みをした。

「君、ただダレ様の素敵な見た目をパクればいいって思ってる？　これ、水飴で固めてるんやけど触ってみて……ってちゃうやん！　おまえが会社でめちゃ頭ええなあ！　って思ってるやつおるやろ」

一瞬ダレが誰のことを指しているのかわからなかったが、数秒後にはその顔が浮かんでいた。

「ああ、もしかして同期の松本のことですか？」

「せや、松ちゃん！」

「球電工で最年少の係長候補と言われている、仕事ができるやつです。とにかく気が利いて根っからの営業マンって感じで、大阪支店では一目置かれてますよ。同期としては鼻が高いですけどね」

「そうそう、でもおまえ、松本のこと嫌いやんかあ」

一瞬ドキッとした。バレている。ダレには心を読む力があることを忘れていた。少し上目遣いに僕は取り繕（つくろ）った。

「は、そ、そんなことないです。あ、あいつは特別だから」

「ぶっちゃけ、ほんまのこと言ってみーや、誰にも言わへんから。あいつのこと、心の底からめっちゃ嫌いやろ？」

僕は、ダレが2杯目に頼んだアップルマティーニを、ごくっと一口飲んだ。ダレが、残念そうにグラスを見つめている。ここはちゃんと本音を話したほうがいいのかもしれない。

「えっと……ここだけの話ということで……実は松本のこと〝うざっ！〟て思ってます」

今度はダレが、僕が飲んでいたアップルマティーニを奪い取って、飲み干して言った。

「うん、知ってる」

「その、あいつ傲慢っていうか、計算高いっていうか、すごくプライド高くて、自己中で、優秀オーラをバンバン出してるし、存在がほんとに鼻につく、マジ大嫌い」

（あれ、なんでこんなに悪口言っちゃってるんだろ）

そう思いながらも、一方で誰にも言えなかった愚痴を言えたことに少しすっきりしている。カクテルを飲むのが久しぶりだったから、アルコールが急に回っちゃったのかもしれない。

「誰にも言わないでくださいね」

3杯目を頼みたそうにダレが僕に目配せをしたので、カウンターにいるマスターにジェスチャーで同じものをお代わりと合図をした。これでダレが何かいいアドバイスや慰めをくれるかもしれないと思ったその矢先、ダレは、3杯目を口に含みながら僕に言った。

「ほ〜そうか、でもさーそれってお前のことやん」

「は、僕？」

「うん。潜在意識に隠れてるタケオの姿やん。だから気になってるんやん。タケオの中にある性格が松本を通して出てきてるだけやん。〝傲慢〟、〝計算高い〟、〝プライド高い〟、〝自己中〟、〝優秀ってオーラ出してる〟、それ全てお前のことってわかってる？」

心ない言葉のオンパレードに、僕は頭をハンマーで殴られたような気分になった。

「まさにそういうタイプが大嫌いです！　言っておきますが、僕と松本は正反対の人間ですよ」

大嫌いなやつを僕みたいといきなり言われたことで、カッとなって怒鳴ってしまった。ダレ、なんて失礼なやつ……。

こいつの言うことは当てにならない。なんで信用してこんな昭和のＢＡＲまで来ちゃったんだろ……。そう思うと余計に腹が立った。カクテルも奢らされてるのに。もっと気の利いたことを話してくれるのかと思ったのに。

「あら、今まで気づくチャンスあったのに。敏感に反応してるけど、なんか勘違いしてない？　お前が持ってる才能を最大限に深掘りするために松本くん、存在してくれてるとも言えるねんけど」

「そりゃあ、僕の大嫌いなやつがお前だ！　みたいに言われたら、誰だって怒りますよ」

影と光の法則

僕は一刻も早く会話を終わりにしたくて、カウンターの奥にいるマスターに向けて、チェックお願いしますのジェスチャーをした。マスターは他のお客さんと話していて気づいてくれない。

「でも、それは本当の自分というものを知るために絶対必要やねんで」

「どういう意味ですか？」

「人間には誰でも〝影(シャドウ)〟がある。でもそれに気づくか、気づかないかで人生が変わる」

「僕は、今までそれに気づけてないということですか？」

「お、気づけてないことに気づけた？」

「あの、バカにしないでください。〝影(シャドウ)〟に気づけてないから、僕は成功できないんですか？」

「んーまあ、それもある。でももっといろいろあるから、これから教えていく。おまえが敏感に反応した松本の性質は別の顔を持ってる」

「別の顔？」

「そう、別の顔とは光のこと。〝影(シャドウ)〟は光がないと現れることができない。光と影は表裏一体。傲慢(ごうまん)が〝影(シャドウ)〟だとしたら、その〝光〟ってなんやと思う？」

ダレは、3杯目のアップルマティーニには手も触れず、真剣な眼差(まなざ)しで、僕に問答を仕掛けてくる。

「傲慢の別の顔ですか？　うーん、なんでしょうね。偉そうで図々しいっていうことを裏返してみると……自分に揺るぎない自信というか、ドンと構えているというか。そうだなあ、傲慢なやつって、限りなく自分を信じてるように感じますけど」

ダレはその大きな瞳でまばたきもせず僕を見つめて言った。

「お！　感性鋭い！　お前も揺るぎない自信を持って、限りなく自分を信じているということ。それが傲慢の別の顔でもある〝光〟の性質。タケオも無意識では揺るぎない自信を持って、限りなく自分を信じている性質を持っているってことや！」

ダレの顔がジリジリと僕に近づいてくる。目が怖い。

「計算高いという〝影(シャドウ)〟の〝光〟はなに？」

「計算高いというと嫌らしい感じがするけど、計算はちゃんとできるってことですよね。っていうことは、計画性があったり、緻密（ちみつ）な考えを持っているとも言えませんか？」

「そう。タケオも無意識では計画性があり緻密な戦略家なんやで。子どもの頃は事前に計画を立てて、山でクワガタをいっぱい捕まえてたの覚えてる？　じゃあ、プライドが高い〝影（シャドウ）〟の〝光〟は？」

「ハングリー精神があるかも」

「そうそう、その調子。お前も無意識ではハングリーさがある。今のままじゃダメだって、心の奥底ではめっちゃ思ってるやろ。じゃあ、自己中心的という〝影（シャドウ）〟の〝光〟は？」

「自分をちゃんと持ってたり、決断力、行動力がある」

「タケオ、ＧＯＯＤ（グッド） ＪＯＢ（ジョブ）！　お前の持ってる決断力と行動力をただ信じればいいんや。じゃあ、最後に自分のことすごいと思ってるやつの〝光〟は？」

「自分のことをちゃんと認められる。すると、ある意味、素直ってことかな」

すでにダレの鼻息がかかるくらいまで、顔が近づいている。ちょっとアルコール臭い。きつい香水とアルコールの匂いが混ざったなんとも言えないカオスな状態に一瞬気が遠くなった。

「タケオ、自分思ったよりいい線いくわ。今言ったことを忘れんと松本を観察して。タケオにも絶対に〝光〟の顔があるんやで。自分の中に自然と光を感じることができたら、〝天才になりたければ、天才のふりをすればいい〟の魔法が使えるようになる」


今まで想像すらしたことのない視点だった。

自分が嫌いだと感じる人の部分に、僕の〝光〟が存在するのか。しかも、その〝影〟（シャドウ）を通して、〝光〟に気づくことができるなんて。

そう考えてみると……あれ？　なんでだろ。今まで大嫌いだった松本に、だんだん興味が湧いてきた。

僕が松本みたいにはなりたくないと拒絶してたのは、自分の中に同じ性質があるからか。そしてそれが、自分自身の成功を遠のけている理由だったとは。

こんな風に気持ちが一瞬で変化するなんて思ってもみなかった。

ダリの生まれ変わりだという、ダレ。

胡散臭いことこのうえないが、人の心を変える言葉を持っていることだけは、たしかなのかもしれない……。

松本ストーキング

　僕は次の日から、隣の部署の松本のデスクの近くをウロウロしたり、仕事帰りに松本の後をつけたりしてみた。すると、不思議なことに傲慢だと思っていた松本はあいつなりにかなり努力していた。

　やつの〝光〟が少しずつ見えてきた。

　机の上の企画書をチラッと盗み見ると、いたるところにふせんが貼られていて、クライアントに応じて入念に個人調査していたり、これでもかとアイデアをブラッシュアップしているのが窺(うかが)えた（「計算高い」の〝光〟は計画性があったり、緻密であること。本当にその通りだった）。

　週末も家で勉強をしているらしいと聞き、松本のマンションのそばまで行って2階のベランダを覗いてみた。するとカーテンも開けっぱなしで、机に向かって、朝から夜遅くまで本を読んでいるではないか。なんてやつだ。大学生の受験シーズンでもあるまいし。

さらにストーキングを続けた。いつも飲み会をパスしているらしい（自己中の〝光〟は「自分をちゃんと持っている」）と同じ部署の後輩から情報を入手し、仕事帰りに松本の後をつけてみる。すると、資格を取るために夜、簿記2級検定クラスに通っていた（「プライドが高い」の〝光〟はハングリー精神）。

あいつ、優秀な営業マンなのに加えて、財務諸表を完璧にマスターしてマネーにも強くなって、どうするつもりだ？　やっぱり只者（ただもの）じゃない！

今までの大嫌いな松本のイメージが僕の中でどんどん崩れていった。それどころか、見えないところでコツコツ努力している松本を少しずつ好きになりかけている自分がいた。

（なぜだろう、こんな気持ち初めてだ）

僕は松本の行動を全てメモすることにした。

〝天才になりたければ、天才のふりをすればいい〟

すごい魔法を手に入れたのかもしれない。

会社の休憩所

「お、嬉野、最近頑張ってるじゃん」

会社の休憩所で缶コーヒーを買っていると、急に松本が僕に声をかけてきたので、僕はドキッとした。

「見直したよ。どうやったらそんなに急に変われるの？」

（やばい！　松本のマネをし始めたからなんて、言えない……）

「え、あ、ま、まあねー！　ありがとう！　松本こそ、今月も営業成績トップ、すごいよな」

「いやいや、ちょっとしたコツがあるから」

「コツ？」

「そうそう、大阪の人に好かれるコツ。ソフトスキルってやつだよ」

「ソフトスキル……なんなのそれ？　教えてくれない？」

少し前の自分なら、素直に質問できなかったかもしれない。だが松本のことを認めたせいか、あるいはカッコつけずに吸収したいと思っているせいか、自然と聞き返すことができた。僕も変わり始めているのかもしれない。

「スキルには2種類あってさ、ハードスキルは、技術や専門知識のことを言うんだけど、ソフトスキルっていうのは、コミュニケーションスキルや協調性のことを言うんだよ」

「お前すごいなー、めちゃくちゃ勉強熱心だな」

「特に大阪では、そのソフトスキルが大事なんだよね」

「たとえば、どんな感じ？」

「うーん、そうだな、えーっと。ちょっとクスッと笑っちゃうような大阪弁使うとかね」

（僕は、大阪の洗礼で言われた言葉「おもんない話すんな」を秒で思い出した。そうだ、それってまさに僕に足りなかったことだ！）

「嬉野、笑顔で『まいど～！』て言ってみなよ」

「ま、まいど～？」

「そうそう、まいど～！　って元気よく、関西人に会ったときに言うんだよ」

「それだけでいいの？　っていうか、ストレートすぎて、なんかギャグみたいに思われない？」

「まあ、相手や言い方には気をつけないといけないけどね。俺は特に東京出身で、鼻につくと思われたらアウトだから。大阪に打ち解けようっていう気持ちを伝えるのが、第一歩って感じなんだよ。あと、飴ちゃんって、聞いたことある？」

「え、アメちゃん？　どういう意味？　地下アイドルかなんか？」

「あはは、違う違う。飴玉のことを大阪では飴ちゃんって言うんだよ」

嬉野は笑いながらポケットからキャンディを出すと、説明を続けた。

「こいつを常に持ち歩いて、商談のあとに渡すんだ。飴ちゃんどうぞってね。すると、明らかに大阪出身じゃない俺がそんなこと言うもんだから、笑ってもらえて距離が近くなることもある」

僕はその研究熱心ぶりに、すっかり感心した。

「すごいな松本。そんなことも研究してたんだ。大阪の文化を調べようとすらしてなかったよ」

「嬉野は佐賀出身だから、そんなに嫌味がないのかもしれないけどね。でもよかったらちょっと使ってみなよ」

すごいなとは思ったものの、本当に効果があるんだろうか。僕は半信半疑で松本の話を聞いていたが、〝天才になりたければ、天才のふりをすればいい〟を実践するために、素直に試してみた。

それから、松本の〝光〟を見習って真似すること1か月。少しずつだけど変化が表れてきた。

僕が担当する地域をシルバー安全チェックWEEKとして「まいど〜！」と元気よく声をかけながら、一軒ずつ訪問するアイデアを叩き出した。クライアントはお年寄りの率が断然高く、ちょっと変なアクセントの僕の「まいど〜！」は、どういうわけかツボにハマるらしくて、最近では「あら、まいどの嬉野ちゃん！」と声をかけてもらえるほど、おじさんやおばさんたちと距離が近くなった（この話を松本にしたところ、「それは効果ありすぎ」と大ウケしていた）。

そうやって打ち解けると、クライアント一人ひとりのお困りごとの調査からスタートすることにした。

調査を綿密にすることで仕事量も労働時間も増えたが、気分は悪くなかった。近年日本中で発生している台風や地震といった自然災害への対策について聞いてみると、予想以上に関心があることもわかった。省エネルギーの新しい提案を公共施設や一般住宅にも行い始め、人々の生の声はまったく違うことを確信した。

言葉でも工夫した。メーカーへの会社訪問の際は必ず「勉強してくださいー」と口癖のように言うようにしたのだ。「勉強してください」は「値引きしてください」という意味の言葉だ。元々は大阪商人が使っていたらしく、年配の人には「もう、嬉野ちゃんには負けるわ、しゃあないなあ」と、単価の値引きをしてもらえることもあった。

こうして夢中になってあちこち駆け回っているうちに、いつしか僕は「嬉野ちゃん」と呼ばれるようになり、地域の人たちの信頼を得つつあることを肌で感じた。

ダリ展覧会

ある日曜の午後、僕は、大阪エアビル前にいた。サルバドール・ダリの展覧会最終日にどうしても行きたくて、足を運ぶことにしたのだ。

ダレと初めて出会ったときの「あの絵」を、もう一度見たい。

サルバドール・ダリ展の入り口は長蛇の列になっていた。僕は少しドキドキしつつ、一方でなんだか微妙な優越感を抱きながら列に並んでいた。すると少し前方に、ピンクの水玉スーツを着て、列に並びながらたこ焼きを食べている、変な外国人の後ろ姿があった。

サングラスにヘッドフォンをつけ、ラテン系の音楽でも聴いているのかノリノリな様子で、体をくねらせている。しかもソースが口の周りにベタッとついているのが遠くからでも見える。

当たり前だが、誰もあの男がサルバドール・ダリの生まれ変わりだとは気づいていないようだ。

（どうか絶対に気づかないでくれ）

そう僕は心の中で叫んですらいた。

まずゆっくりあの絵を見たいと思い、27階に到着したときには、ダレの姿は消えていた。気を取り直して、展示に集中だ。1枚1枚丁寧（ていねい）に見て回るうちに、ひときわ強く存在を主張するように、目に飛び込んできた絵があった。

「あ、この絵だ……『記憶の固執』」

僕がダレと出会ったときに見た風景が、そのまま目の前にあった。

「思ったよりも小さい絵だったんだ。あの日、この中に僕はいたのか」

「最近、タケオらしさが顔を出してきたんちゃう？」

『記憶の固執』の世界に吸い込まれるように入ってしまったことを思い出していると、後ろから、聞き慣れたかすれ声と昭和の香水の匂いがした。

　ダレだった。

「そうなんです、自分でもなんとなくそんな感じがしてて。松本を真似しだしてから、変な話ですが、初めて自分と少し向き合えるようになった気がするんです」

「お前の中に、〝光〟が溢(あふ)れ出してきたんやなあ。タケオの目、なんかキラキラしてんで」

「え、ほんとですか⁉」

　ダレに急に褒められたことで、なんだかちょっとむず痒(がゆ)い気持ちになった。

「でもさあ、タケオってさあ、いつから自分を出せなくなったん？」

「あー、まあ……そう言われてみると……いつなんだろう」

「その調子やったら、だいぶ前からみたいやな。子どもの頃のこと思い出してみたら？」

「子どもの頃……うーん、僕、佐賀県の田舎生まれで、実家はリンゴ園なんですけど。そういえば、小学5年生のときくらいかな……クラスメイトたちに『青森のリンゴにはマジ勝てないからダサ！』って、バカにされて、からかわれてたんですよ」

話しているうちに、驚くほど前から自分らしさを封印していたことに気づき始めた。

一方、ダレは何を考えているのかわからない表情で、続きを待っている。

「で、それがきっかけで佐賀のリンゴ園はカッコ悪いし、なんかイマイチだなって自分で決めちゃって……実家を継ぐのがいやで就職しました。それからは、実家のことは誰にも話していません。本当は……生まれてからずっとリンゴと育ったんで、毎年白い花が咲いた後、かわいい赤いリンゴがなるのが嬉しくてしょうがなかったんですけど……」

そこまで聞くと、ダレの顔が一瞬にして暗くなった。

「お前の過去、最悪やん。それって、自分らしさを封印した……いわゆる悪夢やん」

「悪夢。そう言われれば……あの頃からですね、自分を出すことができなくなったのは……。まわりに、カッコ悪いって言われたくなかったし。今思えば子どもの言葉って残酷ですね」

それには答えず、ダレが優しい表情で語り始めた。

「タケオ……サルバドール・ダリはさあ、両親から5歳のときに死んだ兄貴がおったことを聞かされたんやけど、その兄貴の名前は〝サルバドール・ダリ〟いうねん」

「え、同姓同名なんですか?」

「そう、同じ名前をつけられて、ダリは両親から兄貴の生まれ変わりとして育てられてた。それを知ってからダリは、『自分は単なる〝兄の身代わり〟として生まれてきた』というすごい劣等感を持って生きることになるねん。それが、悪夢の始まり。しかもオトンから梅毒患者の写真を見せられたことがきっかけで女性恐怖症になって……16歳のときに大好きなオカンが死んで……オカンの妹とオトンが再婚して。それからは……カオス状態、わかるよね」

「それは、本当にひどすぎますね……」

「ま、それでも唯一、母に褒められたのが絵を描くことやった。絵が、サルバドール・ダリの人生を最後まで救ってくれることになったんや。つまり、その悪夢が、結果的にはダリを偉大な巨匠へと導いたってことになる」

ダブルイメージの魔法

ダレは泣かないように歯を食いしばっていた。

僕は『記憶の固執』の絵をじっと見つめた。

「ダレ……僕は、この『記憶の固執』の、チーズみたいにぐにゃっと曲がっている時計を描いたサルバドール・ダリの気持ちが、今ではなんとなくわかる気がするんです」

そう言うとダレは僕を見て、笑顔で答えた。

「そうか。２つの異なるイメージが、同じ絵の中に共存することを〝ダブルイメージ〟って言うねんけど、まるであの〝影(シャドウ)〟と〝光〟みたいやろ」


ダレが言うように、サルバドール・ダリは、幼少期の不安という〝影(シャドウ)〟の中に、欲望という光を見いだしたのかもしれない。

絵の中で硬いものと、柔らかいものの両極が表現されているのは、父から与えられた女性恐怖症によるものなのか。蟻(あり)とハエのモチーフは死の象徴として、大好きだった母の早すぎる死と重なり合う。ダリはいつも〝影(シャドウ)〟の中に、〝光〟を探していたのではないだろうか？

でも、もしかしたら〝光〟の中にも、〝影(シャドウ)〟を探していたのかもしれない……。

「タケオさ、関西のおっちゃん、アンド、おばちゃんにごっつ気に入られたみたいやし、もういっちょ魔法教えとこか」

「え、他にも魔法があるんですか？」

「お前がこれからの人生をステップアップするには、過去の間違いを修正しようとしないで、ちゃんと神聖なものとして理解してあげることが大事やねん」

「間違いを神聖なものとして理解してあげる……ですか。でも、なんだか難しいですね。

間違いは修正しなくちゃいけないって思ってしまうけど」

「そこやねん！　すぐ修正しなあかんって思うやろ？　でも、ほんまは間違いを理解し
ようとする人が成功するねんで。

アートの名言
2

間違いは
そのほとんどが神聖なもの。
それを修正しようとしないで
理解すること。

サルバドール・ダリの名言や、覚えときや」

（そういえば、僕が空中庭園で足を踏み外したことがきっかけで、ダレに出会えたんだったっけ）

この不思議な出会いを完全に理解するのには時間がかかりそうだ。目の前にいる得体の知れない男を見て、自然に笑いがこみ上げてくるのだった。

トミーさんの「現代アートのうんちく話させて」

アートを超えたダリの影響

こんばんは！　BARモダンのトミーです。

みなさん、ダリのことどのぐらい、ご存じですか？　あの有名なチュッパチャプスのロゴをデザインをしたのもダリなんです。知ってました？

サルバドール・ダリ（Salvador Dalí）は、20世紀のスペイン出身のアーティストで、シュルレアリスム運動の一員として知られています。非常に個性的なスタイルと奇抜なイマジネーションで知られ、多くの優れた絵画、彫刻、映画、写真などを制作しました。ちなみにシュルレアリスムとは、現実と夢、無意識と意識の間の境界を探求する、奇抜で非論理的なアートのジャンルのことを言います。

ダレが語った通り、辛（つら）かった少年時代。しかし25歳のとき、生涯の伴侶となるガラという女性に出会い、ダリの人生は一変します。ダリは、自分を唯一認めてくれた母親の存在を、10歳年上のガラに投影していきました。その結果、ガラが出現する作品をダリは数多く残しています。

さて、サルバドール・ダリは、何を隠そう「セルフ・プロモーション」の名人でもありました。個性的な外見や言動でも注目を浴び、パフォーマンスアーティストとして世界中に名を馳(は)せたのです。

たとえばですね……潜水服を着て演説をしていて、息ができなくなり死にかけたのは有名な話。ほかにも、フランスパンを頭にくくりつけてリーゼントヘアーのように見せかけたり、本物の象に乗って、凱旋門(がいせんもん)を訪れたりしています。

そうしたセルフ・プロモーションの努力は、ダリの知名度を高め、広告や映画、ファッションなどの分野にも影響を与えたんですよ！

サルバドール・ダリは20世紀の芸術界で最も重要な存在であり、その作品は今日でも広く賞賛され、愛され、芸術的遺産はシュルレアリスム運動や現代のアートにおいて、今でも大きな影響を持ち続けています。

『記憶の固執』（La persistencia de la memoria）は、ダリの最も有名で象徴的な絵画の一つです。ニューヨーク近代美術館、通称MoMA（The Museum of Modern Art）のコレクションに所蔵されているこの絵画は、シュルレアリスム運動のスタイルに忠実で、非現実的で夢のような要素を強調しています。

現実の時間と空間の概念を歪（ゆが）め、夢の中での不思議な出来事を思わせる――この作品を見た人は、現実と非現実の間の境界を探索することができます。

ダリは常に、夢と現実、意識と無意識の領域の交差点を探求しました。この絵が制作された前年、ダリは「偏執的・批判的手法」という手法を編み出し、芸術を創造するために、自ら精神異常的な幻覚をひき起こしていたほど。

「狂人と私の違いは、私が気が狂っていないことだ」

いかにもダリらしいこの言葉には、そんな背景もあったのです！

第2章

ピカソに学ぶ「アウトプット」の法則

変わりたい君へ

佐賀から大阪に引っ越してからというもの、灰色のビルとビルの谷間を行ったり来たりするだけの毎日で、田舎では当たり前の透き通った青空を見ることはまずない。

実家のリンゴ園では、リンゴの白い花の香りが風と共に舞い降りて自然に心が癒されたけれど、会社では排気ガスの臭いや人混みにまみれて、心が休まる暇もない。

最近では、街中を歩いていると、急に都会の声や雑音が聞こえなくなるときがある。子どもの頃の懐かしい夢をよく見るようにもなった。

ダレと出会ってから、僕の中で確実に何かが変わろうとしていた。


（僕が求めている仕事って、営業マンなんだろうか？）

朝、オフィスに出勤すると、知らないうちに故郷への想いが溢れてくる。ダレと出会ってから、少しずつ自分の外側にあったかさぶたみたいなものが剥がれ落ち、自分自身が目覚めて少し顔を出してきている。

この球電工に就職してから、僕は営業マンで構わないって思っていたけど、本当にそれでいいのだろうか……。

そんなとき、会社のオンライン掲示板にあった情報が、ふと目に留まった。

「小水力発電イノベーション部、立ち上げメンバー募集」

BARモダン

〈チャリン、チャリン〉

「ダレ！　聞いてください。やりたいことが見つかったんです。小水力発電イノベーション部に行きたくて、面接があるんですけど」

「え、なになに？　しょうゆ発酵イノベーション？」

「ちょっと、全然違いますよ！　よく聞いてください。小水力発電イノベーション部です」

「え、なになに？　憔悴（しょうすい）して発狂イノベーション？」

「もう！　小水力発電イノベーション！」

「えっと……お小水、しょんべん小僧？」

「全然違うわ！　しょうゆ発酵イノベーションです、違う違う、小水力発電イノベーシヨン部です！」

「えーなんか聞きなれない部署やけど、何それ？」

「一般的な水力発電って、ダムを建設したり大掛かりなプロジェクトになるんですが、小水力発電は、水車を回して発電するのでクリーンな循環エネルギーです。都市の排水でも利用できる新しいタイプの省エネルギーなんです」

「面白そうやけど、それって、お前がやりたいことなん？」

「そうだと思うんですが……でもどうなのかな……ちょっと新しいことがしてみたいだけなのかもしれません……」

「あ、そっか。じゃあ今のお前やったら、面接落ちるわ」

「え、そんなひどいこと言わないでくださいよ」

せっかく相談に来たというのに、ダレときたらまったく聞く耳を持たない。本当に僕を助ける気があるのだろうか。

「ところでさあ、ちゃんと過去の間違いは理解できたの？　小学校5年生のときのいじめとか？」

「あ、あれは……あいつらは子どもだったから悪気はなかったと思うんです」

「あいつらじゃなくて。タケオの中では、どうなん？　まったく腑に落ちてないやろ。

そういうのをコンプレックスって言って、無意識の中にあるんよ」

「無意識の中ですか？」

コンプレックスを放っておくと……

「わかってないようやけど、コンプレックスが無意識の中で成長しまくって、意識まで侵食されてるやつはいっぱいおる。自分をちゃんと理解できずに生きてると、何か問題が出てきたときに大変なことになるで。それは車のアクセルを踏みながら、ブレーキをかけてるのと同じやから」

「コンプレックスが成長するって、なんか怖いな」

「サルバドール・ダリの先輩で、目に見えない無意識をアウトプットした男がおったんや」

「無意識をアウトプット？」

「そうそう。その昔、芸術というものは実物に近いほど素晴らしい！　という解釈があったんやけど、写真という新しい存在が世に出てきてからは、アートの価値が一瞬ガタ落ちになったんよね」

「カメラの発明からってことですか。アートに影響を与えてたなんて、全然知らなかった」

「まさしくアートの危機よ。そこでその先輩が、マジでヤバいって焦って、アートの立ち位置をいっぺんにくつがえしたというね。すごい人やねん」

「新しいアートのスタイルを切り開いたんですね！」

「そう、遠近法が主流やったアートの概念をひっくり返しよった。で、写真では2次元しか表せないところを3次元に落とし込んだんや。ええとこついてるやろ！　無意識のイマジネーションを使って……その男の名は……」

鼻息を荒くしたダレが、僕の耳元でフランス語風に囁いた。

「パブロ・ピカソ♪」

「ピカソ、知ってます!!　え！　ピカソと知り合いだったんですか！」

「タケオの無意識をアウトプットするには、ピカソに会うしかない」

僕もなんだか鼻息が荒くなった。

「ピカソの残した言葉を教えたる。

アートの名言
3

全ての創造行為は、まず第一に破壊行為である。

それから、こうも言ってる。

アートの名言
4

明日に延ばしていいのは、やり残して死んでもかまわないことだけだ！

ってなわけで、無意識についてピカソに聞いてみよっか。今から電話するわ」

何を言ってるんだ⁉　ピカソと話すなんて、無理に決まってる。

「え？　ピカソってもう生きてないですよね？　いくら僕でもそのぐらいは知ってますよ」

ダレはニヤリと笑うと、おもむろにポケットから、最近では見たこともないようなアニマル柄のガラケーを取り出した。

「ところがさー、ワイはすごい携帯持ってるのよ、市外局番の前に（444）番を入れると死者とも話せるハイブリッドのやつ！　それだけでなく話した相手との待ち合わせ場所に行ったら、なんとそいつが来てくれるの！　このオプションで毎月結構電話代食ってるけどね」

「いや電話代って……。しかもピカソが面識のない人と話してくれるわけないでしょ」

「それがさー、相手はワイのことをサルバドール・ダリだと思うんよ……」

「その関西弁で……ですか」

「んもう！　細かいことは気にせんでええ。ワイが話つけたるから、タケオはピカソに会って教えをしっかり学ぶんやで」

そういうと、ダレはガラケーで電話をかけ始めた。

〈トゥルルル……〉

「ヤッホー、久しぶり〜、サルバドール・ダリやけど〜」

「もしもーし、歌麿（うたまろ）でーす。どちら様？」

「う、歌麿？　あ、ごめんなさい。間違い電話ですう」

〈ピッ〉


「あっぷー！　間違って歌麿に電話しちゃったやん。この間、歌舞伎町3丁目で絡まれて大変やったんよ」

（おいおい、歌麿って、江戸時代の浮世絵を描いていた歌麿？）


〈トゥルルル……〉

「もしもし、サルバドール・ダリでーす」

「おー、久しぶり」

「今、スペイン？　あのー来週やねんけど、タケオっていうニューフェイスが会いに行くからさ。そうそう、新しい合コンメンバーやから、よろぴくー。いつもの場所でね。で、例のやつ見せたって」

「了解！　かわいい後輩ダリの頼みとあらば、ひと肌脱ぐさ」

〈ピッ〉


電話を切ったダレが、ドヤ顔で言ってくる。

「じゃあタケオ、スペインのソフィア王妃芸術センターの前で」

「いや、スペインに行くお金なんてありませんよ」

「心配ご無用くんよ。ワイのレッスンには航空券もついてくるからね」

「え、そこまでしてくれるんですか。でも……ピカソさんはスペイン語でしょ？　僕、喋（しゃべ）れないんですけど……」

「ノー・プロブレーム！　この飴ちゃん舐（な）めたら、外国語が話せるから」

と、飴ちゃんを手渡してくる。

「何味がいい？　イチゴは今限定やけど」

「じゃあ……イチゴで」


キツネにつままれたような気持ちだが……なるようにしかならないか。

そこまでしてくれるなら、騙されたつもりで行ってみるのもありかも……。

こんなところで、僕の素直な〝光〟が出てきてしまった。

ダレは、自慢げにガラケーをポケットに入れると、アップルマティーニを注文するように目配せをしてきた。マスターのトミーがカウンターの奥で苦笑いをしている。

（もしかして今、僕は夢を見ている？）

でも、冷静に考えると自分が本当に大丈夫なのか不安でしょうがない……。

ガラケーで死者と話せる⁇　スペインで待ち合わせ⁇?　ああ、頭がクラクラしてきた。

やっぱりこの出会い、僕の人生を狂わすひどい悪夢だ。

スペイン

僕は有給休暇を使って、待ち合わせをしているスペイン・マドリードにあるソフィア王妃芸術センターに向かった。もちろん、不安でいっぱいだ。

ソフィア王妃芸術センターはファン・カルロス１世の王妃ソフィアにちなんで名づけられた、マドリードの美術館通り（パセオ・デル・アルテ）にあるミュージアムだ。

１９８６年に病院を改装して設立され、20世紀の近代・現代美術を中心とした作品を鑑賞できる。メインの建物となるサバティーニ館の２階と４階が常設展で、スペイン近代美術の作品が多く所蔵されているという。

(ん？　女の人に囲まれて、口論になってる人たちがいるけど。真ん中にいる、もしかしてあれがピカソ？)

とっさにダレからもらった飴ちゃんを口に放り込んだ、あ！　このイチゴ意外に美味しい。

「タケオくーん、ちょっと助けて」

ピカソは半泣きになって、僕に助けを求めていた。

「あ、えっと……女性のみなさん、すみません。僕はピカソさんと待ち合わせなんで、続きはまた後で！」

「ちょっと！　私たちピカソに話があるのよ。あなた誰？　日本人？」

「最近見ない、いい感じじゃない？」

「あら、ほんと、可愛いわね」

女性たちが僕のほうを見て興奮しながら、どんどん群がってきた。

「いやいや、あの……僕はピカソさんと待ち合わせに来ただけなんで」

「なんで、スペインに来たの？」

「ピカソとどういう関係なの？」

「ホテルどこ？」

　ピカソの顔が、ちょっと寂しそうになってきた。

「おいおいおい、君たち僕に用なんじゃないの？」

「そうよピカソ、一体この中の誰を選ぶの？　一人に決めてよ！」

「じゃあ、殴り合いの喧嘩（けんか）して勝った女と付き合うよ」

　それを聞いたピカソの女たちがつかみ合いの喧嘩をし始めたので、僕はピカソの肩を抱いて、足早にミュージアムのエントランスに向かった。

「ちょっと、あの女の人たちマジで喧嘩始めちゃったじゃないですか」

「えっと、あの3人をナンパしてさ、喧嘩見てたら楽しくなっちゃって」

「ちょっと、本当にあなた芸術の巨匠ですか⁉」

「僕、付き合う女性が変わるたびに、作風が変わるのよ。それが僕の売りでもあるんだよね」

（やっぱりアーティストって変わり者が多い）

　そう思いながらミュージアムの中を歩いていると、目の前にひときわ大きな、迫力ある絵が見えてくる。

一番初めに僕の心に訴えてきたのは、人々が苦しんでいるさまがモノクロで描かれた、ゾッとするくらい奇妙なその絵の構図だった。


「これは、ドイツ空軍による無差別爆撃を受けた１９３７年に、僕が描いた絵画だ。ドイツ空軍によってビスカヤ県のゲルニカが受けた爆撃を主題としてるんだ」

「ゲルニカは日本でも有名です。思ったよりも大きい。ものすごい迫力ですね！　直接見ると全然違う」

「うん、まあねー。これ描いてたときの彼女は写真家で、結構気がきつくって、そこが魅力でもあったんだけど大変でさ〜。このときも二股(ふたまた)進行中だったんだけど」

「ピカソさん、わかりました。あなたの女性遍歴の話はまた今度で、このゲルニカのことを教えてもらえますか？」

「ああ、そうだよね。この絵はね、タテ約3メートル50センチ、ヨコ約8メートルの大作なんだけど、たったの77日で頑張って描きあげちゃったんだ。早く乾かしたかったので、ペンキを使ったんだけどさ。

そのときも、愛人のドラ・マールとマリー・テレーズがスタジオで出くわして、喧嘩

始めちゃって、面白かったけど」

「面白かったって……でも、なんか想像できるところが怖い」

「最初は、スペイン大使館からの依頼でね。パリ万国博覧会のスペイン館を飾る壁画を描くっていう話だったんだけど、ゲルニカでの都市無差別爆撃を知って……この絵を描くことにしたんだ。ほんと、娘と遊ぶのも忘れて、制作に没頭しちゃったよ」

「悲惨な出来事が、ピカソさんの心を突き動かしたんですね」

ピカソは深く頷(うなず)くと、解説を続けてくれた。

「この絵の中には、牛、馬、ランプを持った少女が出てくるんだ」

「え、爆撃がテーマなのにどうしてですか？」

「僕にとっての牛は残酷さを表しているし、馬は、犠牲にならざるを得ない人々。明かりを灯(とも)す女の子は正義を表現している。これらは全部、僕の無意識に湧き上がる感情をアウトプットしただけなんだ」

「無意識に湧き上がる感情？」

「そう、人はいろんな方法で、いろんな角度から物事を見ることができるんだよ」

無意識の力の使い方

本人の解説を聞いて改めてゲルニカを見ても、何を描いているのか理解するのは難しい。そういえば、ダレが言っていた〝コンプレックス〟の話は関係していないのだろうか。僕は夢中で質問していた。

「ダレ、いや、サルバドール・ダリが〝コンプレックス〟のことを話していたんですが……コンプレックスが無意識の中で成長してしまうって、どういうことかわかりますか？」

「タケオくん、それは自分の心の中にある〝受け入れ難い経験が複雑に絡み合った集合体〟のことを言うんだよ。それを外に出さないと、人格や行動にも大きな影響を及ぼす。実はそれがアートにもなり得るけどね」

「ダレ……いや、サルバドール・ダリが、あなたは目に見えない無意識をアウトプットしたと言っていました。僕も……無意識をアウトプットできますか？」

「もちろんさ。君もやり方さえ覚えれば、無意識をアウトプットできるようになるよ。このゲルニカだって、だんだんキューブのような四角と三角と丸に見えてくる」

「やってみます」

僕は、じっとゲルニカを凝視し、一点集中してみた。

「タケオくん、固くならずに僕の言葉を信じて。

今まで恐ろしいと思っていた絵がさ、なんだかちょっと日本の〝おでん〟みたいに見えてくるからさ。僕の手法をみんなはキュビズムと言ってるけど」
「え、おでん⁉　よく知ってますね」
「ダリにご馳走(ちそう)になったことがある。それでねタケオくん、人間って普段は、一つの視点で全体を見ているよね。でも幾何学的に多視点に分解して再構築することを僕は考え出したんだよ」
「それ、なんか難しいです……」

「ああ、ごめんごめん。じゃあ、ゆっくり深い呼吸をして、何も考えないでいいから」

僕は、ゆっくり呼吸をして、少し作品から遠ざかってみた。そして頭の中を空っぽにし、半ば開いた目で作品を眺めた。

「あれ……不思議と心が静かになると丸と三角と四角に見える。複雑だと思っていた絵が急にシンプルに見えてきました」

「よかった、まず第一にモノの見方が破壊できたね」

続けてピカソは、僕に優しく問いかけた。

「今、無意識が君にイメージさせているものはある？」

ゲルニカを見ていると、なんだか意識がもうろうとしてきて不思議な世界に入っていった。目の前の絵が、どんどん変化していく。

「あ……小学生の僕が……いじめられている女の子をかばってます。そしたらクラスメイトのやつらが数人で僕を攻撃してきて……それから僕はリンゴ園を理由にいじめられるようになって……それでも僕は負けずにその女の子を守っています」

「タケオくんはそのとき、何かを感じたかな。どんな心の感情が湧いている？」

「はい……怒りと悔しさと……愛(いと)おしさを感じます」

「ふふ、

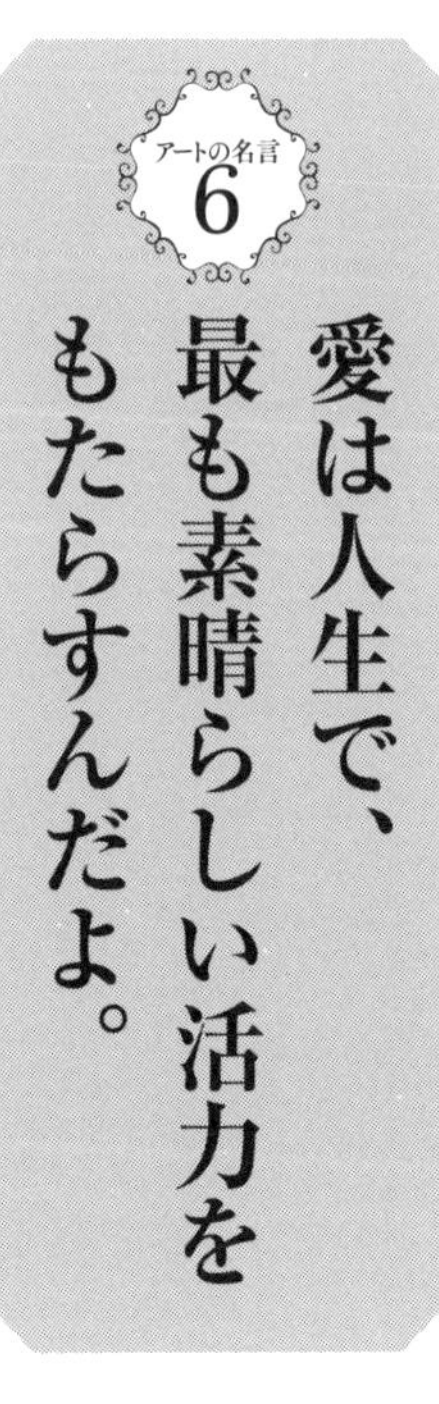

それはまさに僕が絵を描くときの感情と同じ！」

「そっか、僕は……」

「タケオくんの無意識が、ようやく教えてくれたようだ」

「もう、かれこれ15年も前のことなのに、ずっと心の奥にしまってたのか」

「15年経って……君はやっと自分の〝コンプレックス〟を理解できたんだ。でも、これからが勝負だよ。ダリがこう言ってたけどさ。

アートの名言 7

人生で起こりうる悪いことは二つしかない。パブロ・ピカソになることか、サルバドール・ダリになれないこと。


なんだってさ。僕みたいになっちゃ、女の子に追いかけまくられて大変だぞ」

「は、はあ。それにしても、今まで気づかなかった。受け入れ難い経験が、複雑に絡み合った集合体がコンプレックス……だなんて」

「いやいや、普段は自分のコンプレックスには気づかないものだよ」

そのとき、ずっと心の奥にしまい込んでいたことを、なぜだか話さずにはいられなかった。

「子どもの頃にその女の子とリンゴ園でいつも遊んでいて、そこには水が勢いよく回る水車があるんです」

僕は、話し続けた。

「僕のおじいちゃんが『こん水車は、リンゴの命ば繋げとーとばい』って教えてくれた。それから僕は、毎日のように、そのリンゴの命を繋いでる水車を見に行くようになったんです」

「タケオくん……今、何か大事なことを思い出したようだね」

自分でハッとした。

口から自然に出てくる言葉に、一番驚いたのは僕自身だった。

「僕自身が忘れかけていた大切なことに……今……気がつきました」

それを聞いたピカソは満足そうに頷き、ポケットから1枚の紙を出して言った。

「どうやら、僕が教えるべきことは伝わったようだね。じゃあ、ダリにこれ渡しといてね。創造の始まりに必要な、大事なヒントが書いてあるから」

BARモダン

〈チャリン、チャリン〉

日本に帰ったその足でBARモダンに飛び込むと、待っていたかのように、ダレはそこにいた。

ダレのことは疑ってばかりだったけど、今日はとびきり美味しいカクテルをご馳走してあげよう。

「ダレ！　ピカソさんのおかげで、小水力発電イノベーション部で働きたい理由……わかった気がします」

「そりゃよかった」

あれ？　意外にも淡々としたリアクションだ。

「僕が水力発電に興味を持ったのは偶然じゃなかった。小さい頃からリンゴ園の水車をいつも見に行ってて……それが僕の無意識に残っていたんですよ！」

ダレはふーんとつぶやくと、少し意地悪そうに訊(たず)ねた。

「でも小水力発電イノベーションって、聞こえはなんかカッコええけど、めっちゃマイナーやない？　しかもコストがすごくかかるって聞くけど。その価値をどうやって知ってもらうん？　世界中でも、まだ石油、天然ガス、原子力が主流やんかあ」

ダレの問いがあまりに現実的すぎてびっくりしたが、僕はなぜかすらすらと答えを返していた。

「実は小水力発電って天候や季節にかかわらず、水さえあればいつでもどこでもエネルギーが作れるんです。実家の小さなリンゴ園でもその水車を使用してて……水資源が多い日本に向いているんです！」

無言で聞いているダレに向かって、畳みかけるように言葉を続ける。

「ピカソさんによると、〝全ての創造行為は、まず第一に破壊行為である〟ってことですよね。いつかは尽きてしまうような資源に頼る人間の意識を、まず第一に破壊しなくちゃ」

ようやくダレの表情が、やわらかくなってきた。

「僕の過去も破壊された。佐賀のリンゴ園という悪夢も、破壊したんです……」

「ピカソさまさまやね。そんで、破壊した後のタケオの人生の創造行為は、これからがスタートってこと。ま、頑張りや」

ダレに認められたようで、なぜかちょっと嬉しかった。

「あ、そういえば、ピカソさんから預かってたものが……。創造のための大事なヒントだって」

ピカソから託された紙をダレに手渡すと……急にダレの顔色が変わった。

そこには、合コン有力候補の名前30人の電話番号が書かれていて、「タイムトリップしたときのために」とダレは必死でその番号をアニマル柄のガラケーに登録し始めた。

トミーさんの「現代アートのうんちく話させて」
ピカソの本当のすごさ

こんばんは！　トミーです。

今日は、みなさんが名前は一度は聞いたことがある「ピカソ」の話。

生涯で約１万３５００点の油彩と素描、10万点の版画、３万４０００点の挿絵、３００点の彫刻と陶器を制作していて、実はギネスブックに載ってるアーティストだって、知ってました？


パブロ・ピカソ（Pablo Picasso）は１８８１年、スペイン南部アンダルシア地方にある街マラガで生まれました。ピカソの生まれた家庭は、美術教師であり画家でもある父を中心とした中流階級。幼い頃から絵を描くのが好きで、才能もあったと言われており、父親の教育のもとでその技を磨（みが）いていきました。

１８９７年、ピカソは16歳という若さでスペインにおいて最も権威ある美術学校、王立サン・フェルナンド美術アカデミーに入学します。しかし、父から絵画技法を学んでいたピカソは美術学校での指導に満足できず、さっさと退学してしまいます。

1899年、ピカソはバルセロナの若い芸術家とかかわり始め、彼らと一緒にパリとバルセロナを行ったり来たりするようになりました。そこで初めて、自分が学んできた伝統的な絵画とは異なるロートレックやセザンヌなどの作品を目にします。

1901年には、パリで初めての個展を開きました。そこからピカソは作風を次々と変えながら、自らの目指す芸術を追求していきます。

なお、はちゃめちゃな女性遍歴でも有名で（！）、多くの女性がミューズ（性的な魅力を持ち、芸術的インスピレーションを与える存在）となって、芸術活動を支えました。

ピカソはそのキャリアの中で伝統的な枠組みを打破し、新しい表現手法を常に模索したんですよね。特に、キュビズムの創始者の一人として知られていて、対象物を幾何学的な形状に分解し、同時に異なる視点から描かれた要素を組み合わせています。

美術史上に革命をもたらしたピカソは、バルセロナにピカソ美術館が開館した10年後の1973年、91歳でこの世を去りました。

代表作でもある『ゲルニカ』（Guernica）の話をしましょう。ピカソが1937年に制作した絵画で、スペイン内戦中にバスク地方のゲルニカという町がドイツ空軍による爆撃を受けた出来事をテーマにした作品です。ピカソの最も有名で象徴的な作品の一つと言ってよく、戦争による破壊と、それによってもたらされる苦痛を強烈なイメージで表現しています。そのインパクトと芸術的価値から、「戦争と破壊の象徴」として広く認識されているほど。

この作品は、描かれた後も数奇な運命をたどりました。ニューヨーク近代美術館（MoMA）に所蔵されたあと、44年の歳月を経て、1981年にスペインに返還されたのです。ですからこの絵は「故郷の土を踏んだ最後の亡命者」とも言われています。現在、スペインのマドリードのソフィア王妃芸術センターに展示されていて、多くの人々に鑑賞されていますよ！

ランちゃんのユング心理学ってなあに？

〝コンプレックス〟の正体

みなさん、ランです。

現代アートと切っても切り離せないユング心理学について、お話をさせていただきますね！

いきなりですが、衝撃の事実をお伝えしちゃいますよ。ユング心理学においては、コンプレックスとは劣等感ではないんです！

「じゃあコンプレックスって何」って話なんですが、「個人の心理的な経験や精神的な構造において、特定のテーマや要素に焦点を当てたパターン化された思考、感情、記憶、および反応の集合」を指すそうです。

つまり、ネガティブな劣等感に限らない、思考や感情の集まりってわけですね。

カール・ユングが提唱したコンプレックスの理論では、個人の無意識に影響を与え、人格形成や行動に大きな影響を及ぼすと考えられているのですよ。

ユングは発見しました。コンプレックスを理解し、認識し、受け入れることが個人の成長に役立つ、ということを。コンプレックスが無意識に留(とど)まると、問題や課題を解決する妨げとなることがあるそうで、意識的に取り組むことで人生に大きな変化が表れるんですって。

コンプレックスの理論は、個人の心理学と行動の研究において広く利用されていて、特に深層心理学や精神分析の分野で重要な役割を果たしています。

第3章

ハーストに学ぶ「付加価値」の法則

お金の生み出し方を知りたい君へ

ダレと出会って3か月。年が明けた。小水力発電イノベーション部の面接には見事に合格し、僕は新しい部署で少しずつ結果を出していった。

ピカソのおかげで「無意識にまず物の見方を破壊して、創造行為に進んでいく」という手順が、自然に身についたからかもしれない。

小水力発電はこれから大きく伸びていく新しい分野だ。大変なことも多いが、この仕事にワクワクしながら、新しい挑戦を楽しんだ。

ほどなくして僕は小水力発電イノベーション部のリーダー的存在になっていった。

BARモダン

〈チャリン、チャリン〉

「いらっしゃい！　今日もアップルマティーニね！　タケオくん、最近イキイキしてるねえ」

BARモダンに来ると、いつも優しい笑顔で迎えてくれるトミーさん。北海道出身で、

ＩＴバブルのときに株で儲け50歳でＦＩＲＥしてから、このＢＡＲを開いたらしい。

実は芦屋の超高級住宅街、六麓荘に住んでいるアートコレクターでもあって、すごいコレクションを持っているというのがもっぱらの噂だ(ランちゃん情報だけど)。この昭和な雰囲気にも慣れ（？）、僕にとってモダンは今や心の安らぎの場所として存在している。

今日はランちゃんが珍しくお休みのようで、トミーさんが一人で店を切り盛りしていた。

「はい、トミーさん、そうなんですよー。ここんとこ、仕事が楽しくって。最近、小水力発電イノベーション部のマネージャーに抜擢されたんです！　研究者と共同で誰でも使えるポータブル小水力発電機を開発することになったんですよ」

「ああ、部署が変わったって言ってたけど、そんなに早い出世ってすごいね〜。そういえば水力発電はＳＤＧｓでもあるよね。サステナブル・デベロプメント・ゴールズ、日本語で言えば持続可能な開発目標。２０３０年までの約束事。これからの人類にとって本当に大事なことだね」

サステナブル・デベロプメント・ゴールズの発音がネイティブ並みにいい。底知れない人だ。

「トミーさん、さすが詳しいですね。ＳＤＧｓの17の目標って知ってますか？」

「1が貧困をなくそう。で、2が飢餓をゼロに、だったよね？」

（すごい。僕は仕事で勉強してるけど、急に聞かれて答えられるなんて）

「は、はい。僕の部署である小水力発電は、7のエネルギーをみんなに、そしてクリーンに、の目標に当てはまっていまして。全ての人たちに、手頃で信頼できて、持続可能かつ近代的なエネルギーへのアクセスを確保することを目指しています」

「うんうん。でもさー、ＳＤＧｓって目標がいっぱいあってなんか難しい、って思う人も多くない？」

「たしかに。でも本当は、シンプルなんですよ。国連193加盟国によって採択されたアジェンダの名前はトランスフォーミング・アワ・ワールド……つまり、我々の世界を変革しようという意味です。その中の目標がＳＤＧｓなんですが、つまりは、僕たちの意識からこの地球を変えていこう！　というだけのことなんですよ」

「そう聞くと、水力発電も、結果的には地球のためになるのかな？」

「はい。小水力発電は、都会にいても自然の力を借りて地球に優しくサステナブルに生活できるように開発されたもので、まるで、地球のサポーターにでもなった気分になりますよ」

「お前〜、何なまやさしいこと言ってんの！。そんな綺麗ごと言ってても売れへんかったら意味ないやんけ〜。売れてんの？」

ふと横を見ると、僕の顔から3センチほどのスレスレの距離で、にやりと笑いながら昭和の香水をぷんぷん漂わせている見慣れた外国人がいる。

僕は、肩を落として、本音を言わざるをえなかった。

「それが……みんな見たことがないものに価値を感じてくれず、実は思ったようには市場が伸びていません。どうしたら……この素晴らしい価値を伝えることができるんでしょうね」

「タケオ、お前それ真剣に言ってる？　てか、このまま石炭と天然ガス使い続けたら、この地球はあと50年で終わるっしょ。そうなったら、電車も車も飛行機も止まって、人と物の流れが止まって、社会活動、経済活動ストップやん。近いうち人類破滅やん！」

「そんなネガティブなこと……伝えられないでしょ……」

「タケオ、お前は、死に対していくら払うことができるんや？」

「え！　死？」

「そうよ。生と死のレベルの話やん。そのためなら真剣に考えるし、お金だって払うやろ?」

「確かに……この地球の天候危機が破滅をもたらすってわかっているのに、日本ではあまり真剣に捉(とら)えられてないかも……。牛のゲップからメタンガスが発生して、オゾン層を破壊してるという情報は嘘だってリサーチもせずに言う人もいますし。日本ではSDGsってフレーズは知ってても、ヨーロッパやアメリカのように、サステナブルが生活の一部にはなっていないし」

「

アートの名言 8

俺はとにかく問いかけた、死に対してお前が払える最高額はいくらか、ってね。

サルバドール・ダリの後輩であるダミアン・ハーストの言葉ね。ハーストはさあ、生と死を金に変えた男だって言われてんのよ。すぐにロンドンへ飛んでハーストの作品を見に行ったほうがええよ、地球の将来のためにも」

「地球の将来がかかわるだなんて、そんな大袈裟（おおげさ）な……」

眉間（みけん）に皺（しわ）を寄せているダレ。

「わかりましたよ……でも、一体どうすれば……」

その瞬間、ダレの表情が崩れた。

「行く気になったんやったら、よろしい。きゃ～ハーストいるかな～、電話してみる」

ダレは、例のガラケーで小指を立てながら電話し始めた。


〈トゥルルル……〉

「あれ？　おかしいな、ハースト出えへんわ」

「もしかして、居留守使ってるんじゃ？」

「いや、そんなはずは……あ、でもこの間、『僕のホルマリン作品を、人を驚かすドッキリアイテムに使うのはやめてほしい』って切願されたな」

「えーなんですかそれ！」

「あー、キレられたからなあ。まあ、しゃあないわ、作品だけでも見に行こうか。じゃあ現地集合ってことで。今回も旅費はワイもちだから心配いらんから。来週はロンドンでフィッシュ&チップスやな。大阪のたこ焼きみたいなもんや、知らんけど！」

ダレは電話をポケットに入れると、アップルマティーニを催促してきた。

ああ、来週ロンドンってどうしよう。この前はピカソに会いに初めてスペインへ勇気を出して行ったけど、今回はダレとの旅行……って大丈夫だろうか。僕は手帳を見ながら有給休暇があと何日残っているかを確かめた。

ロンドン

ロンドンに位置する美術館、テート・ブリテンは1897年にミルバンク刑務所の跡地に建設された、長い歴史を持つ美術館だ。テムズ川畔、ミルバンク地区にある国立の近現代美術館で、テート・モダンなどと共に、国立美術館ネットワーク「テート」の一部をなしているらしい。

僕は「会社の将来のためにグローバルな感性を磨きたい！」と上司にゴリ押しをして、今度もなんとか休暇を取ることができた。

そのテート・ブリテンを調べているうちに、所蔵品の中にジョン・エヴァレット・ミレイが描いた『オフィーリア』という有名な作品があることを知った。

最近、ピカソからアートを鑑賞する面白さを学んだこともあって、事前にその美術館で何が見られるのかをリサーチすることにしている。今ではほぼ一人で、抵抗なく美術館を訪れることができるようになった。


オフィーリアは、ウィリアム・シェイクスピアの『ハムレット』の主人公の恋人だ。自ら川に身を投げ、歌いながら水面（みなも）に浮かんでいるオフィーリアの最期の姿を描いたこの絵は、ミレイの最高傑作だと言われている。日本を代表する作家、夏目漱石（そうせき）が、ロンドン留学中にこの作品を鑑賞したことは、『草枕』の誕生に大きなインスピレーションを与えたそうだ。

せっかくだからこの作品も見てみたいと思いながら、テート・ブリテンのエントランスで、ダレを待つことにした。

（まだ少し早いな……先に『オフィーリア』を見に行こうかな）

足早に『オフィーリア』が飾られている部屋に向かう。すると……。

「オフィーリア！」

なんだ、この声は？　見れば、大勢の人たちが集まっているそのまっただ中で、潜水服に身を包んでビリヤードのキューを持った、不審な人物が絵に向かって叫んでいた。

（まさか……）

じわっと昭和の匂いが漂うと同時に、ちょっとかすれた聞き覚えのある声で、その男はまた叫んだ。

「最も魅力的で、最も恐ろしい君に会いたかった……オフィーリア！」

僕は苦笑いをしながら、潜水服のヘルメットをこづいて言った。

「なんですか、その格好⁉」

「あ〜もう！　妄想に浸ってたのに！　エントランスで待ち合わせってゆうたやん」

「妄想って……もしかしてオフィーリアを見たかったからロンドンまで来たんじゃ……」

「ちょっと喋りにくいから潜水服脱ぐわ。前回は、窒息しそうやったんやけど、今回は大丈夫みたい……」

そういうと、ダレはおもむろに潜水服を脱いだ。その下にはパステルピンクのスーツを着込み、チュッパチャプスを口に咥えながら、嬉しそうな顔をしている。

「何ゆうてんの？　このオフィーリアちゃんは、その当時、ワイが世間で絶賛したから

バズったんや。オフィーリアちゃんの内面の美しさをだれもわかってなかってんでー‼

それってどうなん！」

わめき散らしながらビリヤードのキューで床をコンコン鳴らして、ダレはとても悔しそうな顔をした。

「はいはい、わかりました。でも、今回はダミアン・ハーストさんの作品を見に来たんだから、早く連れてってくださいよ」

「わかってるって……確か、ここにあるはずやねんけど……」

僕たちは、テート・ブリテンの中を歩き回って、ようやくダミアン・ハーストの作品『群れから離れて』を見つけることができた。

「ありましたね！　わあ、この羊のホルマリン漬けの作品すごい！　まるで生きているみたい……」

念願の作品が見られたというのに、ダレの様子がおかしい。まったくの無表情だ。

「タケオに見せたかったんはこの子ちゃうねん、ああ〜！　ごっつ、驚かしたかったのにい〜！」

「どういうことですか……あれ？　僕、どうしたんだろう……なんだか眠気が……」

◆生と死を、お金に変える

　ダレと話をしているうちに、ホルムアルデヒドの匂いにやられたみたいで、僕はいつの間にか眠ってしまっていた。気がつくと得体の知れない研究室のような部屋の冷たい床に横たわっていた。

「タケオ、お前に見せたかったんは、このダミアン・ハーストの最高傑作と言われる『生者の心における死の物理的な不可能さ』や!!」

　なぜか白衣を着たダレが、僕の横を指差した。そこには、ガラス容器に入った巨大なサメのホルマリン漬けが置いてあって、そのサメは巨大な歯を剥き出し、今にも飛びついてきそうだった。僕は飛び上がるくらいびっくりして目が覚めた。

「こわ！」

「ふふふ、驚いた？　このサメくんどこにおるかわからんかったから、探すの大変やったわ……以前はテート・ブリテンにおったのに……」

「すごい……これが、ハーストさんの生と死を金に変えた作品……」

「

生と死……人が見て見ぬふりするような人間のタブーを、ハーストは作品にした。このサメはもう死んでいる。しかし、まだ何か恐怖を感じるやろ？

アートの名言
10

偉大な芸術作品とは、鑑賞し、体験し、心に残るもの。コンセプチュアルアートも伝統的な芸術も大して差はないのさ。

それが、ハーストの考えなんや」

ダレがサメの顔をギョッと覗き込んで、ブルブルッと身震いした。

「確かに、このサメの作品は一度見ると忘れられないくらい迫力がありますね。死んでいるサメだとわかっていても、なんだか今にも噛みついてきそうだ」

「人間は普段、死を感じずに生きている。死という言葉は人間にとってタブーやろ。でもハーストは人々にいつも死を感じさせたい。誰にでもいずれ死が訪れると伝えたかった……」

ダレは一度目を瞑って、大きく深呼吸をした。

「古代ローマ時代には、それをメメント・モリと呼んだんや。死を想え、って意味ね。死を意識することで今を大切に生きることができる、ってわけよ」

「メメント・モリ……初めて聞きました。確かに誰にでも死は訪れます。そして、今すぐ地球を大切にしないと確実に近い将来……人類は滅亡します」

「タケオ、やっと、メメント・モリってきたやん。でもお前が伝えようとしていることは、もしかしたらこの人類を救うかもしれへんよ。どうやったらその価値を伝えられるんかなあ。

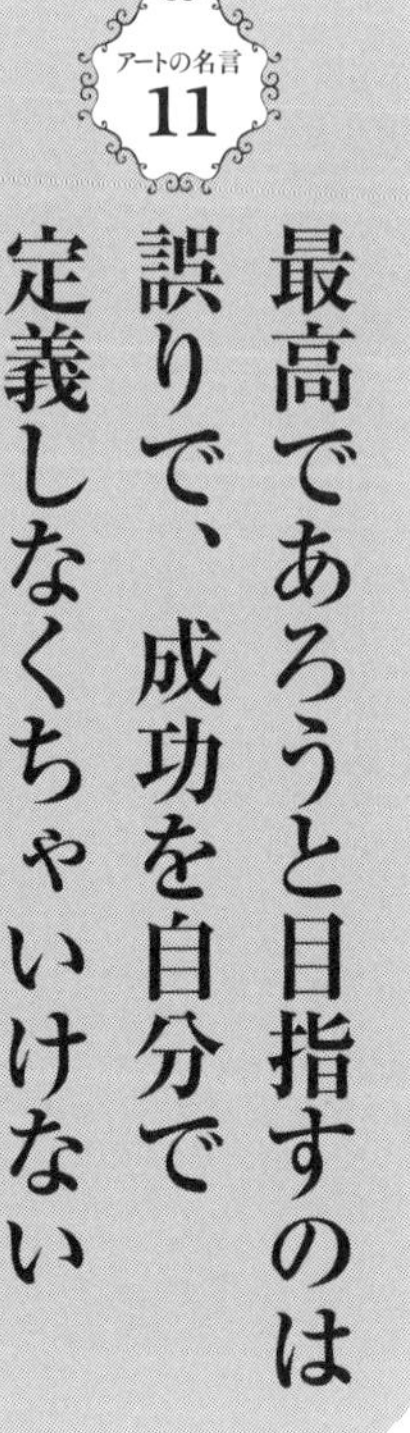

最高であろうと目指すのは誤りで、成功を自分で定義しなくちゃいけない

わかるかい、このハーストの言葉の意味が……」

最高であろうと目指すのは誤り？　そんなの初めて聞いた。

「これからの時代は〝最高〟を目指すのは間違った目標なんよ。自分自身の基準で成功を評価する必要があるってこと。だからお前はお前の手で、大きな価値を作り出すしかないやろな。

人の命がいつか終わるのと同じように、地球の資源もいつか終わる。そう肝に銘じて、地球に住む全ての人が持続可能な生き方へシフトチェンジしなければ、人類はすぐに滅びていくで」

「僕は、それを伝えることに価値があると定義します！」

「せや、それをタケオが伝えるねん。自分の力で、将来の人類のために。

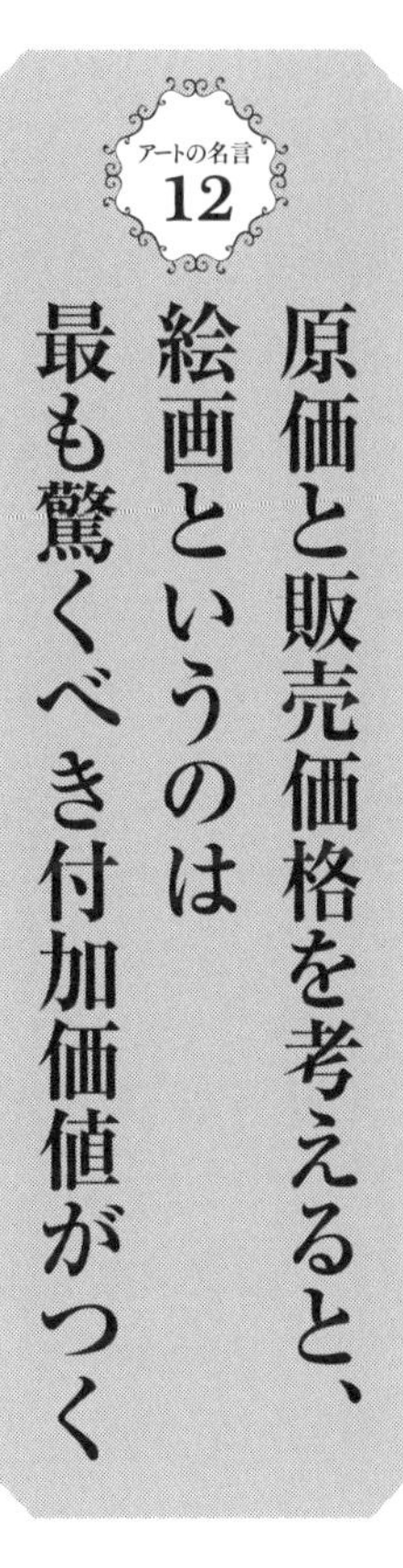

ハーストはこうも言っている。タケオのその考えに大きな付加価値がつくのも、ハーストの考えに付加価値がつくのも、まったく変わりはないねんで」
「それは……すごいアイデアだ……あれ、また眠気が……」

ネーミングの魔術

あの後、とんでもないことになった。

ダレと話をしているうちに、またホルムアルデヒドの匂いにやられたみたいで、僕はいつの間にか眠ってしまっていた。

気がつくと……『タケオのホルマリン漬け』と書いてある僕専用のホルマリンボックスがテーブルの上に用意されているではないか。

そういえばダレがニヤニヤしながら「ハーストって学生時代に死体安置所で働いていて、そのときに人間のホルマリン漬けを作りたかったらしいよ」って言っていたのは、こういうことだったのか。

薄目を開けると、ダレっぽい後ろ姿が……鼻歌を歌いながら何やら液体と液体を混ぜている。

僕は夜中まで待って、そのスタジオから抜け出し、命からがら日本に逃げ帰ってきた。そのことをダレに伝えると、「ウソ、夢でも見たんじゃない?」と言って笑っていた。

でも、あれは絶対に計画的犯行だ!

まあそれはさておき……ロンドンで得たものは大きかった。

ダミアン・ハーストの作品のコンセプト、そして付加価値の作り方を学んだことで、小水力発電が本当に「人類の将来に関わる大切なこと」だと定義できると再認識したからだ。

それだけじゃない。僕だけじゃなく、日本人みんなに、この切迫感を伝えるヒントももらった。あのサメのようなインパクトを、どうか伝えられないか。

そんなとき、開発を進めていたポータブル小水力発電機が完成した。そうだ！　ネーミングで、人類の危機を伝えられないだろうか。メメント・モリ……。

こうして、ポータブル小水力発電機の名称を〝メメモリ〟と命名することにした。

誰でも、どこでも、流れる水さえあれば発電することができる、画期的なプロダクトの誕生だ。

BAR モダン

「ほんでさ……水力発電だって社会に訴えかけるコンセプチュアルアートとも言えるや

ん」

　メメモリのことを報告すると、ダレはなぜか上から目線で絶賛してくれた。

「そう、今の人類に訴えかけるアートみたいですよね」

「タケオ、〝原価と販売価格を考えると、アートというのはおそらく最も驚くべき付加価値である〟っていうダミアン・ハーストの言葉から、お前の〝メメモリ〟も、めっちゃ付加価値あるのわかってる？」

「……えーっと、メメモリの発電はもちろん、メメモリを使わない人もその名前を聞いただけで、地球がまずい状況にあるって知らしめる効果もあるってことでいいのかな？」

「ご名答！　調子出てきたやん。まあ……あのときのタケオのホルマリンには、もっと偉大なる付加価値がつきそうやったけど」

「あ～！　やっぱり僕をホルマリン漬けにしようとしてた……」

　僕がダレに疑いの目を向けた瞬間、マスターのトミーさんが会話に入ってきた。

「そういえば、ダミアン・ハーストが死を表現するために、33億円かけて作ったダイヤの頭蓋骨『神の愛のために』は、本物の人間の頭蓋骨をかたどったプラチナに８６０１個のダイヤモンドが施されてあるんですよね。たしか、１２０億円で売り出されてたんじゃなかったかな。タケオくん、〝メメモリ〟の販売価格は、どうするの？」

僕は、そのハースト作品の金額にど肝を抜かれつつ、冷静に答えた。

「〝メメモリ〟を、アートと捉えて、付加価値をつけた値付けをしようと思います」

すかさず、ダレがニヤニヤしながら僕に言った。

「おー100万くらい？　アイデア投げたワイには、10％のマージンでいいからさあ。その33億円をかけて作ったダイヤの頭蓋骨も、また一緒に見に行けへん？　目の保養に。で、そのとき……万が一タケオがホルマリン漬けにされた場合、『タケオのホルマリン漬け』というアート作品を制作したワイには大金が入るから……」

「ちょっとダレ、いい加減にして！」


その春。球電工は〝メメモリ〟で、国連が主催するSDGsインターナショナルコンペティションに応募した。このコンペには世界中から数千人が応募し、SDGsに貢献しているコンセプトのプロダクトを競い合う。最終プレゼンテーションは8月、ニューヨークのエンパイアステートビルディングで行われるらしい。

日本代表として、僕たちの〝メメモリ〟が第2次審査まで残った。

トミーさんの「現代アートのうんちく話させて」
「コンセプト」で問うダミアン・ハースト

皆さん、BARモダンのマスターのトミーです。曽根崎に来たら、是非遊びに来てくださいね！

僕の好きなカクテルは、ブランデーベースのロマンティックなカクテル「サイドカー」です。柑橘（かんきつ）系で、夏にはもってこいですよ！

ダミアン・ハースト（Damien Hirst）っていうアーティストは、イギリスの現代美術家で、ヤング・ブリティッシュ・アーティスト（YBAs）と呼ばれ、1990年代に頭角を現してきたコンテンポラリー・アーティストの中でも代表的な存在なんです。

ハーストはイングランド西部のブリストルで生まれ、北部の都市リーズで育ちました。ハーストが12歳のときに父親が家を出てしまい、その後万引きで逮捕されるなど荒れた生活を送っていました。

それからジェイコブ・クレーマー・カレッジ・オブ・アート（現在のリーズ芸術大学

の前身）に入学する機会を得て、ロンドンの建築現場で2年間働いた後、1986年から1989年までロンドンのゴールドスミス・カレッジで学びました。

在学中の1988年、荒廃したビルを会場に、学生たちによる自主企画展覧会〝フリーズ〟を主催し、その際にイギリスの大手広告代理店サーチアンドサーチの社長チャールズ・サーチ（美術コレクターとして有名で、後のサーチギャラリーのオーナー）に、共同出品していた学生たちと共に見いだされました。

ハーストの作品では特に、〝ナチュラル・ヒストリー〟という、死んだ動物（鮫、牛、羊）をホルマリンによって保存したシリーズが有名ですよ！「過去と現在」「死と生」「人間の健康と医療」「科学と宗教」など哲学的なテーマのもとに、生体の動物や死体が登場します。

ハーストの芸術においては、コンセプトやアイデアが重要な役割を果たしていて、見る者に考えさせ、議論を呼び起こすことが多いんです。作品は美術館や個人コレクターによって収集され、高い市場価値を持っていまして、数百万ドルから数千万ドルで取引されているものもあるほど！

ダミアン・ハーストの代表作品でもある『生者の心における死の物理的な不可能さ』(The Physical Impossibility of Death in the Mind of Someone Living)は、その特異なコンセプトにより、芸術界で大きな注目を浴びました。なんと、鉄とガラスで覆われた巨大な箱に、全長4・3メートルのイタチザメがホルマリン漬けにされているのですから。

これ、元々は1991年にチャールズ・サーチの依頼によって制作された作品でして、2004年にアメリカの投資家でコレクターのスティーブン・A・コーヘンに売却されました。その売却値は約800万ドルと見られています。

この作品もまた、「生と死」「存在と無存在」「時間の経過」など、哲学的なテーマを探求していて、抽象的なタイトル自体も示唆(しさ)的です。まぎれもないハーストの代表作の一つであり、現代芸術の新たな視点を生み出した、コンセプチュアルアートの代表的な作品でもあります。

第4章

カーロに学ぶ「勇気」の法則

何かを捨てたいあなたへ

今まで小水力発電を販売するのに一苦労していた僕だったが、それが嘘のように、小水力発電機〝メメモリ〟は突如売れ始めた。

日本でも近年の猛暑などで地球温暖化が実感され、サステナブルな生き方にシフトしたい人が増えてきたせいもあるんだろう。そこへ、ダミアン・ハーストのアートのように付加価値を持たせる作戦が功を奏したというわけだ。

何より僕自身、毎日〝メメント・モリ〟を感じながら仕事をするようになった。

BARモダン

〈チャリン、チャリン〉

「いらっしゃいませ」

（いつも優しく挨拶してくれるランちゃんなのに、今日はなんだか元気がないな）

「あれ、ランちゃん。久しぶりだね！　最近休んでなかった？」

「そうなんです。実は、新進気鋭の若手アーティストによる展示会コンペがあって。作品制作に励んでたんで、お休みいただいてました」

「そうだったんだ。でも、なんだか元気がないようだけど……」

「あ……わかります？　はい、先週、彼氏が浮気をしていることがわかって……コンペも完敗で……」

ランちゃんは、泣きそうになって、下を向いてしまった。

「悲しいことを思い出させちゃってごめん。そんな大変なことがあったんだ……。でもランちゃんの大事な時期に浮気するなんて、最低なやつだね」

「私のどこがいけなかったんだろうって、自己嫌悪でなかなか立ち直れなくて……。いつもダメンズばっかり好きになってしまうんです。どうしたらいいんでしょう……。ごめんなさい、お客さんのタケオさんに個人的なことを話しちゃって……あ……ここに飾っている絵は私が描いたんです」

ランちゃんが指差した先には、明るい色彩で描かれたアブストラクト（抽象画）の小さな油絵が壁にかけられてあった。

「私の尊敬している心理学者のカール・ユング博士も、自分の心を落ち着かせるために絵を描いてたんですよ」

「へー！　僕、あまりアートに詳しくないんだけど、最近はダレの影響で美術館に行くようになったんだ……この暖色系の色彩、ランちゃんの優しい性格がすごくよく滲(にじ)み出てるね」

「ありがとうございます！　ここの色彩にはとことんこだわったんです」

「実はね僕も……大阪に来た頃はいろいろ辛いことがあってね……自己嫌悪で立ち直れないって気持ちがよくわかるんだ。そうだ、ダレが何かアドバイスしてくれるかも！　いつも本当にいいヒントをくれるから」

「あ、そういえばダレさん、さっきまでいたんですけど、たこ焼き買ってくるからって出ていきました」

「

アートの名言
13

恋はその始まりがいつも美しすぎる、だから結末が決してよくないのも無理はない。

ってなわけで、またサルバドール・ダリの名言炸裂～」

「あ～！　びっくりした！　ダレ、なんで椅子の下から出てくるの⁉」

「ラン姫、そんな男は捨ててしまいなさい。第一浮気がすぐバレるようなやつはいかん。若い男なんてテクニックもないし、人生経験も浅いし、もっと経験豊富なうんと年上のイケオジがいいよ。それもスペイン人でかっこいい男。特に、特徴のあるヒゲがあって流暢な関西弁男は逃しちゃったら後悔するぞ！」

「ちょっと待って、それって、完全に自分のことじゃ……ランちゃん引いてるじゃないですか！」

「うん、もう！　女の子は落ち込んでるときがチャンスやのに！　じゃあ、わかった、男との別れを選択するんやったら……女性画家のフリーダに聞いてみよう」

「アーティスト登場ですね⁉　待ってました！」

最初は疑念しかなかったものの、今ではダレがガラケーを取り出すと、ワクワクして仕方ない。

「別れの名言、あるよ～。

そんな言葉を残したフリーダ・カーロに電話する」

〈トゥルルル……〉

「はい、アマンダです。ん？　ダレ？　どこにいるの!!」

「やべ！　あ、あの間違い電話です！　ごめんなさい。ダレじゃなくタケです」

「タケって、その声はダレでしょ！　よくも二股してくれたわね！」

〈ピッ！〉

「わー、ふう、元カノに間違って電話したー。きっつー！　あの頃、ガラとアマンダ被ってたんやったー」

「あの、ダレさんが一番、最低ですやん」

ランちゃんがすかさずツッコんだが、ものともせずすぐさま電話をかけ直すダレ。

〈トゥルルル……〉

「もしもし、サルバドール・ダリです。フリーダ、元気してた？」

「きゃあ、ダリ、お久しぶり！　どうしたの5年ぶりに電話なんて嬉しい。

アートの名言
15

心の中に浮かぶことを全てキャンバスにのせているわ。

私は元気よ！」

「うん、もう素敵〜！　その名言、何回聞いてもいい〜。フリーダ全然変わってないね、今もあの青い家に住んでる？　僕の友達のランが君に会いに行ってもいい？　君の肖像画を見せてあげてほしいのよ」

「もちろんよ！　青い家で待ち合わせしましょう」

ダレは、「メキシコにある青い家に行くと、タイムトリップしてきたフリーダ・カーロに会うことができるのだ」とランちゃんに説明していた（やっぱりランちゃんもにわかには信じられないようだった）。

しょうがない、助け舟を出してやるか。きっとランちゃんの役に立つ話をしてくれるんだろうし、フリーダの教えを僕も知りたい。

「大丈夫だよ、ダレは胡散臭いやつだけど、本当に不思議な力を持っているみたいなんだ。帰ってきたら、フリーダ・カーロがどんな話をしてくれたか、教えてね」

「わかりました。タケオさんがそう言うなら……」

一方ダレと言ったら……フリーダ・カーロとの電話のときは少し色気のあるイケオジの匂いが漂っていてかっこよかったのに、買ってきてあったタコ焼きをおもむろに椅子の下から取り出した姿は、いつもの怪しいおっさんに一瞬で逆戻りしている。2、3個いっぺんに口に放り込んで、ハフハフ言いながら頬をパンパンにしている姿に、僕はただ言葉を失うしかなかった。

メキシコ

ちょうどゴールデンウィークで学校が休みだったこともあり、バイトの短期休暇をとったランは、早速フリーダ・カーロに会いにメキシコの「青い家」に向かった。

「青い家」の前では、長い黒髪を三つ編みにしている美しい女性が、車椅子に乗ってランを待っている。本当にフリーダ・カーロがそこにいた！

「いらっしゃい、ラン、よく来たわね！」

綺麗な刺繍（ししゅう）が施されたロングスカートと、大きなアクセサリーがひときわ目立つ可愛らしいメキシコの民族衣装に身を包んだフリーダが、ニコニコしながらランを迎えた。

「フリーダさん、こんにちは！」

ランが車椅子を見つめているのに気づいたフリーダは少し戸惑った様子で、その顔からはさっきの笑みが消えかけていた。

「ラン……中に入って、一緒に瞑想（めいそう）をしましょう」

フリーダはそう言うと、ランの手をとって家のリビングへ案内した。

部屋の中には、美しいメキシコの民芸品や、アート作品のような手作りの家具が揃っていて、フリーダの持つ美しい芸術性を感じさせるものばかりだった。

「ここに座って、私の手をぎゅっと握って……」

青いリネンのカバーがかけてあるカウチにゆっくりと腰掛けたとき、フワッと心地よいそよ風が窓の外から入ってきて、ランの顔を優しく撫(な)でた。

「目を閉じて、ゆっくり呼吸してみて……」

二人は息を合わせて、同じペースで呼吸し始める。

「ラン、今からあなたは私の無意識の中に入っていくのよ」

フリーダはそう言うと、優しくランの手を握りしめた。フリーダの手の温かさがランにも伝わっていく。

「今、何が見える？」

ランは、ゆっくり深呼吸しながら答え、どんどんフリーダの無意識の中に入り込んでいった。

「ふう……えっと……バスの中にいるフリーダさんが……見えます。とっても若い頃。18歳くらいの若々しい感じで、学校かどこかに行くところでしょうか」

「そう、私は学校に行く途中だった」

「朝なので、たくさん人が乗っていますね……ああ！　バスが急に！　車とぶつかってしまった。なんてこと！　手すりがフリーダさんのお腹に刺さってしまって、一面が血の海に」

ランの手が震え出し、その手をフリーダが握った。

「ラン、もう一度深く深呼吸してちょうだい。今は何が見える？」

「寝室で、フリーダさんが天井を見つめています。天井には鏡が貼ってある」

「そう、交通事故に遭って動けない私のために、母が鏡を貼ってくれたのよ」

「それからフリーダさんが、ベッドで天井の鏡を見ながら……自画像を描き始めました」

「そうね、ラン。もう一度、深く深呼吸してみて」

「あ……場面が変わって……フリーダさんの結婚式？　みたいです。お相手はディエゴさんというメキシコで有名な画家ですね。フリーダさんのウエディングドレスが美しくて、とっても幸せそうです！」

「そう、このときが私にとって一番幸せな時期だったと思う」

「あれ……急に真っ暗になってしまった。ディエゴさんとフリーダさんの妹がベッドで浮気してる。なんてこと！」

二人は手を繋いだまま、お互いが一つになっていた。その目には涙が溢れていた。

「今、車椅子のフリーダさんが絵を描いている後ろ姿が見えます」

「ラン、目を開けてちょうだい、そしてこっちに来て」
フリーダが車椅子で案内した先はベッドルームだった。そこに置かれている絵は、まさにさっきランが見たものと同じだった。

セルフポートレートで人生を取り戻す方法

「18歳のときにバスの衝突事故に遭ってね。全身あちこち骨折して、手すりが腹部に刺さって膣から飛び出して、バスは一面が血の海になった。あなたが見た通りよ。何度も手術をして今は車椅子なの。でもね……。

アートの名言
16

結局、私たちは自分が思っている以上に、耐えることができるものなのよ。

覚えておいて」

フリーダは優しくランに微笑んだ。

「この絵は、フリーダさん自身ですね」

「ええ、この絵は、『二人のフリーダ』という絵よ。ちょうど夫のディエゴと離婚したときの絵なの。

右側はディエゴと結婚する前の私、左が離婚した後に血を流してピンセットでその血を止めようとしている私。同じフリーダだけど、二人のフリーダがいるのよ。

アートの名言 17

私は夢を描いたことなんて一度もないわ。自分自身の現実を描いているだけ。

それが私のスタイル」

フリーダの人生の全てがアートに変換されていることに気づいて、ランはハッとした。

「フリーダさん、私、私……恋人に浮気されてから、立ち直れなくなって、自分を責めてばかりで……」

フリーダは微笑みながら言った。

「

アートの名言 18

確実なことは一つもないのよ。全ては変化し、動き、巡り、飛び、いなくなるから。

あなたの人生をアートにするのよ。ランならできるはず」

そう言って、フリーダはランの頭をそっと優しく撫でた。

〝ひらめき〟と〝行動〟をバランスよく使う

「フリーダさん、私の中にも二人の自分がいます。一人は悲しみに暮れている私、もう一人は、その悲しみを乗り越える私です！」

「そう、私と同類ね。あなたも絶対に成功するわ」

「私、人生をアートにしてみせる！　あなたのように……」

「ふふ、ランにとっておきの秘密を教えてあげる」

そう言うとフリーダは笑顔になった。

「ランの心の中にある女性的な部分と男性的な部分がいつもバランスよく存在していると、クリエイティブな人生を送れるわ。私は、アニマ、つまり女性性においては〝ひらめき〟という才能を発揮して、時としてアニムス、つまり男性性を〝行動〟に使っているのよ」

「〝ひらめき〟と〝行動〟ですか？」

「目に見えないけれど、〝ひらめき〟は女性が持つエネルギーよ。その〝ひらめき〟を使って〝行動〟を起こしていくと大抵はうまくいく。男性性の行動だけではダメなの」

「フリーダさん……私は毒親に育てられて、両親の承諾がなければ何もできない子ども時代を過ごしたんです。でも思い切って東京を離れて京都の美大に通うことは、私にとって、その環境から逃げ出す大きな第一歩だったんです」

ランの目から涙がまた溢れ出した。

「ラン、あなたは誰よりも〝ひらめき〟から〝行動〟に起こせるってことに、自分で気づいていないわ。もし、自分の言いたいことがちゃんと言えないときがあったら、心のバランスの舵(かじ)を取りなさい」

「そのためには……どうすればいいんですか？」

「まずは、あなたの〝ひらめき〟を素直に聞いて、その通り〝行動〟するのよ。理由なんてどうでもいいの。ひらめいたら行動してみるだけ」

「そんなに簡単なんですか？」

「そう、そんなにシンプルなことよ。あなたは、今まで他人にその〝ひらめき〟を封じ込められていただけなのよ。ランのひらめきを塞(ふさ)ぐ人なんていらない。〝ひらめき〟そのものを塞いでしまうと、クリエイティブな人生を送れなくなる。

あなた自身を取り戻すには、まずは心の声に耳を傾けて行動して。そうするとあなたのアニマとアニムスが繋がって、本当のあなたが誕生する。最終的に、あなたの〝ひらめき〟の力になる素敵な人が現れるから」

「そういえば、前の彼は私の意見にいつも反対で……アーティストとしても創造できなくなるくらい」

「それは、ひらめきブロックマンよ。あなたの〝ひらめき〟を塞ぐダメンズに出会ったら、猛ダッシュで逃げなさい」

「はい！」

「ラン、自分の〝ひらめき〟と〝行動〟を信じて」

「信じます！」

そう言ったランの顔は、長くて暗い嵐が明けた後の、透き通った青空のように、清々しい自信に溢れていた。

トミーさんの「現代アートのうんちく話させて」

なぜフリーダ・カーロは自画像ばかりを描いたのか？

こんばんは！　マスターのトミーです。

眉毛が繋がっていて、黒髪に三つ編みでメキシコの民族衣装を着た女性の自画像と言えば、フリーダ・カーロ（Frida Khalo）です。見たことがあるかもしれませんね！

アート作品よりも、彼女自身のビジュアルのほうが有名かもしれません。その理由は、生前残した200点ほどの作品のほとんどが、自画像、ポートレートだったから。

自分が受けた事故の経験を『事故』という作品にしたり、自分自身の身の上に起きたことや壮絶すぎる人生をキャンバスに描くことで、素晴らしい作品を生み出していったのです。

フリーダ・カーロは1907年にメキシコシティ近郊のコヨアカンに生まれました。

父親はドイツから移民したハンガリー系ユダヤ人の写真芸術家で、母親はインディオの血が流れるメキシコ人でした。

1910年には内戦をともなうメキシコ革命が勃発。その時代に生きたフリーダの人生には、常に死と苦痛の影が付きまといました。

最初は6歳のとき、ポリオに感染し足が不自由に。さらに18歳のときにはバスの事故で瀕死の重傷を負い、生涯、後遺症で苦しみます。

その事故から約4年後の1929年、フリーダが22歳のとき、21歳年上のメキシコ人画家ディエゴ・リベラと結婚します。このディエゴが、フリーダの人生に新たな変化をもたらすことになります。


革命の動乱期が終わった当時、革命の意義を壁画に残すメキシコ壁画運動が盛んになりました。ディエゴは、そこで活躍していた英雄的な有名画家でした。二人の結婚生活の中で、フリーダの手術は30回を超え、数回の流産を経験し、ディエゴの度重なる不貞に苦しみます。それも、あろうことか自分の実の妹とディエゴは不倫をしていたのです。

絶望から逃げるため、フリーダ自身も奔放な恋愛を繰り返しました。そして、悲しみ、苦しみ、怒り、全ての感情を、キャンバスに表現したのでした。

晩年は残念ながら片足を切断することになり、47歳の短い生涯を閉じています。

さてさて、フリーダ・カーロの代表作でもある『二人のフリーダ』（The Two Fridas）についても、改めて解説しますね（巻末写真参照）。

1939年に制作されたこの作品は、フリーダ自身の個性と複雑な内面を反映しています。自分自身を2つの異なるフリーダとして描いたもので、彼女の心の内面の対話を視覚的に表現してもいます。

左側のフリーダはメキシコの民族衣装を着ていて、彼女のメキシコのアイデンティティとルーツを象徴しています。それに対して右側のフリーダはヨーロッパ風の衣装を着ていて、ヨーロッパのルーツと自己認識の複雑さを示しています。

そう、フリーダはメキシコとヨーロッパの文化、身体的な苦痛と精神的な苦悩、病気と健康といった相反する要素を抱えていたのです。それら対照的な面を作品に反映させたこの傑作は、感情豊かで強烈なカラーと詳細な描写が特徴です。

自己表現と情熱的な表現に溢れたフリーダの作品は、多くの人々に感銘を与え続けています。

ランちゃんのユング心理学ってなあに？

あなたの心にも潜むアニマとアニムス

フリーダさんに教えていただいた女性性のアニマ、男性性のアニムスについて、もう少し詳しくみなさまにお教えしますね！

フリーダさんのお話の通り、わかりやすく言うと、アニマは〝ひらめき〟、アニムスは〝行動〟とも捉えられます。

そもそもユングは、集合的無意識の中の原型としてアニマ、アニムスと名付けました。アニマは、男性の集合的無意識の中にある女性性の原型、女性らしさを表します。一方でアニムスは、女性の集合的無意識の中にある男性性の原型、男性らしさを表します。

……なんて言われても、いまいちピンと来ませんよね？

もっと具体的に言えば、アニマは、男性の無意識の中に潜む、〝自分にとって最も影響を受けた女性〟のことなんです。母親の場合が多く、深く心を許した女性もそれに匹敵します。そしてこのアニマに、〝ひらめき〟や〝受動性〟をもたらしてくれる要素があります。

一方のアニムスは、女性の無意識の中に潜む男性性で、自分にとって影響を受けた数名の男性が投影されると言われています。アニムスには、〝行動力〟や〝能動性〟をもたらしてくれる要素があります。

ただ、現在では、少しその定義が変わってきてるんですよね。単純に男性と女性の区別でアニマ、アニムスを捉えるのではなく、全ての性別の中に潜む女性性と男性性が持つ性質を理解することで、人の中に存在するアニマ、アニムスのバランスを整えることができる……となってきています。

心理学もアップデートされているんですね！

第5章

ポロックに学ぶ「プレゼン」の法則

伝えたい君へ

僕たちが応募していた国連主催のＳＤＧｓインターナショナルコンペティション。第２次審査も突破し、ニューヨークのエンパイアステートビルディングで行われる最終プレゼンテーションに参加できることになった！

しかも、〝メメモリ〟というネーミングとコンセプトによって多くのファンがつき、プロジェクトとしてもさらにパワーアップしている。もしかしたら、大賞も夢ではないかもしれない。

今までの僕の人生でこんなＢＩＧチャンスは初めてだ。でも、さすがに普通のサラリーマンが世界規模は無理だろうと想像すると……一気に不安になってきてしまった。

ＢＡＲモダン

〈チャリン、チャリン〉

「いらっしゃい！」

元気な声で迎えてくれたのは、ランちゃんだ。

「ランちゃん。ＳＮＳであげてたユング心理学のコラム、読んだよ。フリーダ・カーロさんから、いいことを教えてもらったようだね。ひらめきと行動、僕にもすごく参考になったよ」

「えー読んでくれてたんですね。ＳＮＳ発信もひらめきで始めちゃったんで、ちょっと恥ずかしいけど、うれしいな。フリーダさんのおかげで、自分の制作も改めて頑張ろうっていう気になれました。タケオさんは最近、何か行動を起こしてます？」

僕が返事をしようとするのを、ダミ声が制した。

「ニューヨークのプレゼン、楽しみやなあ〜タケオ！」

ダレだ。いつものように顔を近づけてくる。いい加減、この昭和の香水の匂いにも慣れてきた。最近では、懐かしくすら感じる。

「やっぱり、知ってるんですね（そりゃ何でも、お見通しだもんね）。楽しみって言っても、旅行で行くわけじゃないので……プレゼンの資料もようやく集まったので、後はどれだけ伝えられるかなんですが……」

「ワッツ・ユアー・ネイム〜？」

「は？」

「ワッツ・ユアー・ネイム〜？」

「マイ・ネイム・イズ……タケオ。アイム・フロム・ジャパン……って！　ちょっと遊ぶのやめてもらえませんか」

「あ、タケオ発音いまいちやな、デジタルネイティブなんやから、プレゼンもさあ、チャットGPT使えばええやん」

「ちょっと、そんな簡単じゃないですってば！」

いつもアップルマティーニなのに、今日のダレは、マンハッタンという名のカクテルをすすっている。

不安を紛(まぎ)らわそうとしているのか、僕もいつも以上にお酒が進み、いい気分になってきた。

「でも、実は僕……ニューヨークの治安がちょっと心配なんです」

「ワイ、エヌ・ワイに住んでたから、いろいろ教えたんで」

「あの、ニューヨークってすごく危険だって聞いてるんですが、防弾チョッキ購入したほうがいいですか?」

「チョッキじゃなしに、防弾スーツでお願いします」

「確かに、チョッキよりスーツのほうが安心やね、って、そんなもんあるか！」

「そんなもん、ないですね。防弾チョッキいりません」

「あと、物価がすごく高いんですよね、カップ麺とかレトルトのお味噌汁持ってったほうがいいですかね、コンビニってないですよね……？」

「大丈夫、コンビニある、ある～！」

「時給いくらですかね……？」

「バイトするんかーい！」


「あと、僕トイレ近いんですけど、公衆トイレってないんですよね？」

「基本ないわ、日本とちゃうで」

「あと、和式トイレはあります？」

「知らん、知らん！」


「気をつけるべき、ニューヨークのルールってありますか？」

「歩きながら酒飲んだら、捕まる」

「へ～知らなかった！　じゃ、ダッシュで走りながらの飲酒はＯＫとか？」

「そやね、追いかけるポリスマンより速ければ、って、そんなわけないやろ！」

「もうええわ」

「ちょっと。ちょっと！『ニューヨーク、怖いわ』っていうお笑いのネタみたいになってない？　さっきからなんの話やねん！　ていうか、アドリブやばいやん。タケオくん、いつの間にか、ボケとツッコミのバイリンガルなってるやん。ワイよりおもろいって、どういうこと。ちょっとジェラス！」

「……」

（最初にボケてきたのはダレのほうじゃ……）

「タケオさあ……ホンマはプレゼン勝ちに行きたいやろ？」

僕は静かに頷く。

「お見通し。せやったら、サルバドール・ダリのこと、勝手にライバルと思ってるアーティストがニューヨークにいてるから紹介しとくけど。そいつがさー、プレゼンが激うまやねん。ちょっとアル中やねんけど」

ダレはピンクで水玉模様のガラケーを、行きつけのスーパーで貰ったというウサギの可愛い買い物袋の中から出して、「これ、ＳＤＧｓのＭＹエコバッグね」と言いながら、電話をし始めた。

〈トゥルルル……〉

「もしもし、ポロック？　元気してるん？」

「今ちょうど、タバコの灰をキャンバスに落としてました！　元気です、先輩この間はやらかしましたね、また飲みましょう！」

「あー、前に日本のウイスキー飲みたいって言ってたやんかあ。ＹＡＭＡＳＡＫＩ、持っていこか？」

「え！　ほんとですか？　覚えててくれてたんですね。18年もの？」

「そうそう、俺のパシリのタケオが持ってくし、ちょっとアクションペインティング見せたってくれへん？」

「わかりました～！　ＭｏＭＡで待ち合わせしましょう」

〈ピッ！〉


　いつも軽い感じで電話してるけど、サルバドール・ダリを装って、世界的に有名な現代アートの巨匠たちを黄泉（よみ）の国から蘇（よみがえ）らせ、面会をたった一言でＯＫさせるこの男、ほんとにすごい。

今更ながら感心していると、隣でキャーキャー言いながら、ピンクのマニキュアを小指に塗って、ランちゃんにお披露目して騒いでいる男の姿があった。

ニューヨーク

今回の出張では僕の直属の上司である有田さんも一緒に同行して、プレゼンに臨むことになった。

この有田さんは地味なんだけど、会社では一目置かれている存在だ。苗字がきっかけなのかはわからないが、有田焼のコレクションが趣味らしい。

何を隠そう、僕が小水力発電イノベーション部に所属できたのも、この人が僕を推薦してくれたからだった。


ただ、実はかなり天然なところがある。

ニューヨークに到着した翌日の朝、マンハッタンのホテルのロビーで有田さんと待ち合わせをしていると、血相を変えた有田さんが僕のほうに突進してきた。

「嬉野！　た、大変なことになった。会社に電話しても繋がらない！！」

「有田さん……ニューヨークと日本の時差は今、13時間です。日本は夜中です……」

「あ、そうだった、あああ……グッドラックで、眠いわ。頭が回らん」

「ジェットラグです」

「まあ、どうでもええやない。ところで、明日は現地集合だよな」

「はい。今日はこの後にプレゼンの練習で人と会う約束があるので、ちょっと行ってきます」

「そうか、俺は、嫁にプレゼントを買いに行かなあかんけどな」

有田さんはお金を示すジェスチャーを手でしながら苦笑いした。恐らく、アメリカではＯＫを意味することは知らないだろう。

「嬉野、俺が20年前に球電工で働き始めた頃は、お前のように目をキラキラさせていたもんや。でも田舎っぺの俺が大阪に配属されたときは、関西弁に慣れなくて、苦労したわ……」

「そういえば、小水力発電イノベーション部の立ち上げのときも、僕たちほんと大変でしたね。梅田大ホールでの展示会、覚えてます？」

「ああ、あのときはたしか……取引先の専務に、小水力発電イノベーションを知ってもらうのに丸1時間説明して、大変だったな」

「そうでした、しかも挙句の果てに『あんまし、わからんわあ』って。がっくりでしたよね。見たこともないものの価値を知ってもらうのがどれだけ大変か、思い知らされました。その後、改善に改善を重ねて……今があるのはあのときのおかげですね」

「ほんま、ええ思い出やな、明日はお前の腕の見せ所。楽しみにしてんで！」

有田さんはそう言うと奥さんにエルメスのバッグを頼まれているとかで、いそいそと５番街に向かった。

MoMA

名前の頭文字をとってＭｏＭＡ（モマ）と呼ばれて親しまれるニューヨーク近代美術館。アメリカ合衆国ニューヨーク市にある近現代美術専門のミュージアムで、マンハッタンのミッドタウン53丁目に位置している。

１９２９年に、リリー・Ｐ・ブリス、アビー・アルドリッチ・ロックフェラー、メアリー・クイン・サリバンという３人の女性によって設立されたのが始まりで、当初はセントラルパーク近くのオフィスビルの一角を借り、展示を行っていたそうだ。20世紀以降の現代美術の発展と普及に多大な貢献をしてきたミュージアムなんだそう。

そのMoMAで、ジャクソン・ポロックさんと待ち合わせをしている。とうとう、明日の朝は〝メメモリ〟のプレゼンテーションだから、直前にその極意を教えてもらえるのは願ってもないチャンス。僕は、ダレから「まだ試作段階やねんけど」と言って渡された、プリン味の飴ちゃんを口に含んだ。

「ようこそ、ニューヨークへ、タケオくん！　ハンバーガーはもう食べた？」

かっこいい雰囲気のオジサンが咥えタバコで僕に近づきながら、こう呟いた。

「あのさ、アートとは制作過程を見せることなんだよ。僕にとってはアートの表現手法が一番大事なの。

アートの名言
19

僕は絵の具の流れをコントロールできる、そこに偶然はないんだ。

タケオくん、今までの芸術家は意識の支配を免れる方法として偶発性を受け入れたけれど、僕は滴り落ちる絵の具の重力と勢いを用いた偶然性の実験をしたんだ」

　ポロックはそう言うと、自身の作品である『ナンバー31』の前に立った。

「この作品を見てごらん。この『ナンバー31』には中心になる焦点も、明白な反復やパターンも存在しない、一種の規則性を感じるだろう？　まるでダンスをしているように。都会の混沌とした激しさにも見えるけれど、自然の原始的なリズムを感じるオーディエンスもいるんだ」

（ジャクソン・ポロック、なんかかっこいいなあ！　惚れちゃいそう！）

「ポロックさんにとっては、制作過程がアートなんですね。実は僕は明日、大事なプレゼンテーションがあるんです」

「プレゼンテーションも、ある意味、君の作品の制作過程とも言えるよね」

「あ、確かに、そういうことですね！」

「今から、僕がアクションペインティングの作品を作るから、制作過程を真似するんだ。いいね？」

「え？　ポロックさんの制作を生で見られるってわけですか、すごすぎる。わかりました！　真似するのは得意です！」

ポロックさんと僕はＭｏＭＡをあとにすると、イエローキャブに乗ってある古びたビルディングに到着した。その３階がポロックさんのアトリエだ。

到着するなり、ポロックさんはおもむろにテーブルにあったコーヒーメーカーのコーヒーをカップに入れ、飲み出した。

（さすがのブラック、かっこいいなあ）

ぼんやり眺めていたら、ほら、真似してよと言いたげな視線を向けられて、（あ、もう始まってるのか！）と気づく。あわてて僕もコーヒーを入れて、ブラックコーヒーを嗜（たしな）んだ。

「ああ、美味しいなあ、このブルーマウンテンは」
「ああ、美味しいなあ、このブルーマウンテンは」

「でも、これ高かったんだよね」
「でも、これ高かったんだよね」

ポロックは少し頭を傾げた。ちゃんと真似できてなかったのかもしれない。

その後、咳を3回したので、自分も咳を3回してから、同じようにトイレへ。恐らく大きい方に違いないので、僕も必死にお腹をさすって、昨日のハンバーガーを外に出した。

トイレから出てきたポロックはいきなり瞑想をし始めたので、僕も目を瞑ってゆっくり呼吸をする。とても不思議な気分だ。

この一連のプロセスを真似することで何かヒントが得られるに違いない、と手応えを感じ、身震いした。明日のプレゼン、成功するかもしれない。

「さーて！　今から作品制作しまーす！」

「さーて！　今から作品制作しまーす！」

「いや、俺の真似すんなよ！」

「いや、俺の真似すんなよ！」

「それがあかんねんて」

「えー、そんな、今までのはなんですか⁉」

「タケオくん、今から僕の真似してよ！　お願いだから。

アートの名言 20

僕の絵の源泉は無意識なんだ。

ここからが本番だよ。

アートの名言 21

床の上のほうが気持ちが落ち着く。絵にもっと近く、もっと一体化できる気がするから。

さあ、行くよ」

ポロックさんはそう言うと、床に置いてある大きなキャンバスに、ハケを使って絵の具を飛び散らかした。

僕もポロックさんが言った通りに、絵の具を飛び散らかしてみる。何度も何度も、いろんな色の絵の具やペンキをハケにつけて、糸のように飛散させた。

（すごい……僕はなんて大胆なことをしてるんだろう）

床に置いてあるキャンバスに視線を落とすと、みるみるうちにアブストラクトな太い線や細い線が重なって、一つの作品ができあがってきた。

「

アートの名言 22

エネルギーと動きを目で見えるように記録し、空間に閉じ込めるんだよ。

そう、その調子」

ポロックさんと僕はまるで子どものように無邪気にダンスしながら、キャンバスに絵の具を落としていった。真似をしているだけで、まるで自分も現代アーティストになったような気分だ。

全てが目覚めるとき

「ポロックさん、アクションペインティングって、こうやってできていくんですね。なんだか気持ちいい」

「でしょう? ピカソのクソ野郎が全てやり尽くしちゃったから、僕はアートをつくる過程という部分に価値を置くって手法を編み出したんだよ」

あの女癖の悪いピカソを思い出して、僕は苦笑いした。

「そうそう、そういえば……ピカソさんと初めて出会ったとき、3人の女性に囲まれてました。でも一人の女性は僕のこと気に入ってたんですけどね」

僕は、自己流のダンスをしながら、ポロックさんの見よう見まねで手に絵の具を塗りつけて、キャンバスを滑らせていく。

「本当に女癖悪いヤツだよ、ピカソは!」

「三股は普通みたいですよ」

ポロックさんは口に咥えていたタバコの灰まで作品の一部にし始めたので、僕も同じようにタバコを咥えて火をつけた。

「タケオくん、そういえばピカソは一度彼女に振られたことがあって、その元カノがアーティストだったものだから、『アート業界に出入りできないようにしてやる！』ってリベンジしたらしいよ」

「わーピカソさんって、男としては相当なダメンズですね」

「本当に最悪なアーティストだよ！」

今度は、青い絵の具の缶をそのままキャンバスにブチ撒(ま)き始めたので、僕も同じように赤い絵の具の缶をブチまけた。

「ポロックさん、そんなにピカソさんのこと大嫌いなんですか？」

「いや……大好き♡」

「新しい女性との出会いは、新たな発想を生み出すし……ある意味、尊敬♡」

ガクッと僕の足が絵の具で滑る。

「わかるかい、どうしてか？

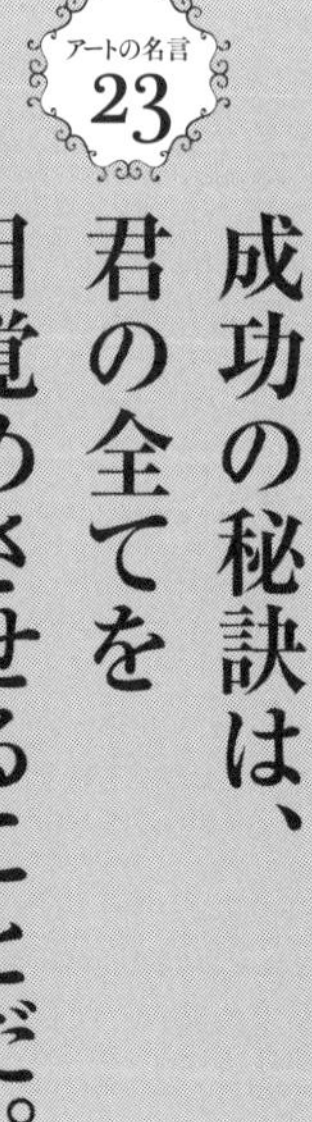

成功の秘訣は、君の全てを目覚めさせることだ。

つまり、遊びもプライベートも大事ってこと」

ポロックは、ニヤッとして

「そういえば……あれ、持ってきてくれた？」

と言った。僕はスーツケースに入れられるだけのウイスキーを持ってきたことを思い出した。

「もちろんです！」

「こいつこいつ！　さあ、これから、僕らの全てを目覚めさせよう。

このＹＡＭＡＳＡＫＩで」

僕たちは、夜がふけるまで、身も心も全てを目覚めさせるアクションペインティングをしまくった。

アクションペインティングの果てに

「やばい！　寝過ごした！」

目が覚めると、ホテルのカウチで眠りこけていて、どうやって帰ってきたのかも覚えていないくらいだった。

「どうしよう、けっきょくポロックさんから、具体的なコツは教えてもらわなかった」

鏡を見ると顔も体も全身、ペイントだらけだ。

「うわ！　ほんと覚えてない」

周りを見渡すと、プレゼン用に持ってきた小型の〝メメモリ〟の模型が転がっている。

これを使って会議室で普通に説明するだけでいいのだろうか……。

（いや、そんなはずはない）

「成功の秘訣は君の全てを目覚めさせることだ」

昨日のポロックの言葉が、僕の耳に蘇る。

そうか。僕の頭にアイデアが舞い降りた。

エンパイアステートビルディング

「遅れてすみません！」

僕は5分遅れで、エンパイアの85階にある会場にたどり着いた。審査員は3人。全員しかめっ面だ。先に着いていた有田さんが、真っ青な顔で僕を見つめてくる。

「すみません！　この会場にトイレってありますか？」

「君、プレゼンテーションに遅刻して来て、いきなりトイレとはどういうことかね？」

「み、水が欲しいんです！　そして、みなさん一緒に来てほしいんです……トイレに！」

不機嫌度マックスに達した審査員たち。万事休したと思ったその瞬間、有田さんの流暢な英語が炸裂した。

「大変失礼しました。演出の一部ですから、どうか移動をお願いできませんか。損はさせませんから」

半信半疑ながら、とにかく審査打ち切りにはならなかった。やるときはやってくれる有田さんに感謝しつつ、みんなでトイレに移動する。

「ここまでしてつまらなかったら許さんぞ」という無言の圧力を感じながら、僕はカバンの中からミニの〝メメモリ〟とバケツを取り出した。ポロックから教わったように、大きなジェスチャーで、エネルギッシュな動きを見せながら、僕は微笑んだ。

審査員から「ＯＨＨＨ!!!」という声が聞こえる。

そのリアクションにたしかな手ごたえを感じながら、トイレの洗面の蛇口にホースでミニ〝メメモリ〟を繋げ、勢いよく水を流した。

〝メメモリ〟の中には小さな水車が設置されていて、それが水の勢いで回る仕組みになっている。僕の気合が乗り移ったのか、水車はいつも以上に勢いよく回った（気がする）。水は〝メメモリ〟からバケツに流れ、同時に、〝メメモリ〟に付いているメモリがどんどん上がっていった。

エンパイアビルのトイレの水道から電気が誕生したのだ！

「イッツ・エンパイア・ハイドロパワー！」

僕は体中の力を込めて、大きく叫んだ。

「ワオ！　ザッツ・ワンダフル・アクションプレゼンテーション！」

審査員の一人が、僕に応えるように叫び返す。

やったぞ！　心の中では、エンパイアステートビルディングというどでかいキャンバスいっぱいに、絵の具を好き放題飛び散らかしている気分で、このアクションプレゼンテーションを終えた。

そして、プレゼンの結果が出る前に、とんでもないことが起きた。

数日後にわかったことだが、僕のプレゼンがユーチューブにアップされていたのだ。ビルの清掃作業員が隠れて撮影していたものが世界に発信されてしまったらしい。

〝A Peculiar Japanese Business Man Generates Electricity at the Empire State Building〟（風変わりな日本のサラリーマンがエンパイアステートビルで発電する）というタイトルで、その再生数はなんと1億回にのぼっていた。

「うわああ！　テレビに出ちゃってるの⁉　スターになっちゃった⁉」

うしろからスマホを覗き込んだ有田さんが叫ぶ。面倒なのでユーチューブの説明をせずに、僕は頷いた。

有田さんの理解も半分正しい。

一夜にして僕は有名人になっていた。

トミーさんの「現代アートのうんちく話させて」

アクションを芸術にした ジャクソン・ポロック

みなさま、トミーです！

ダレが飲んでいた「マンハッタン」というカクテル、僕も大好きなんですよね。

このカクテルを一躍有名にしたのは、マリリン・モンロー主演の映画『お熱いのがお好き』です。禁酒法時代のシカゴが舞台になっていたこの映画で、「マンハッタン」が登場したんです。

さて、ジャクソン・ポロック（Jackson Pollock）の話をしましょうか。現在、ポロックの多くの作品は、ニューヨークのＭｏＭＡで見ることができますが、作品の制作方法には大きな特徴があります。

それは、床に置いたキャンバスに筆から絵の具を飛ばしていくというスタイルです。

見た目は絵の具を撒き散らした無造作なものにしか見えませんが、ポロックの作品は世界的にも高い評価を受けています。

アメリカ西部の町で生まれたポロックは、美術を学ぶために18歳でニューヨークへ。由緒ある美術専門学校アート・スチューデンツ・リーグでは、当時全盛期を迎えていた画家トーマス・ハート・ベントンの指導を受けています。

そんな経緯から、初めはネイティブアメリカンの芸術、メキシコ壁画などの影響を強く受けました。しかしその後は、シュルレアリスム（超現実主義）やキュビズム（立体派）といった、ヨーロッパ系モダンアートを手掛けるようになります。

そして1947年、ポロックは絵画芸術に革新をもたらしました。

独創的でダイナミックなテクニック・スタイル――後に「アクションペインティング」と呼ばれるアートを編み出したのです。

「アクションペインティング」ではキャンバスをイーゼルに置いたり、壁にかけるのではなく、床に置いてペンキや絵の具を垂らしたり、撒き散らしたりして、アートを完成させていきます。このスタイルは「ドリップペインティング」として知られ、絵画制作の過程が作品そのものの一部とされました。

それまでのアートでは、「どのような方法で、どのようなツールを使って、どのように制作しているか」はフォーカスされませんでした。

しかし、作品を生み出すプロセスをアートの一部だと捉え、前面に押し出したこと自体が決め手となり、ポロックは一躍アート界で有名人となります。

完成形を見せるだけでなく、過程を見せることで、アートの捉え方の意味が変わるなんて、いったい誰が考えたでしょうか。

作品を制作している写真も雑誌に取り上げられました。作成現場での見た目もめちゃくちゃかっこよくて絵になったことも、大きな効果があったと思います。

ポロックの活躍は、パリからニューヨークへとモダンアートの中心が移りゆくきっかけにもなりました。その意味で、「アメリカ現代美術の開拓者」とも言われています。

一方で、ポロックには影の部分もありました。引っ込み思案で気まぐれな性格のポロックは、生涯の大半をアルコール依存症と闘いました。1945年には画家のリー・クラズナーと結婚。キャリアに重要な影響を与えたものの、ポロックは44歳のとき、飲酒運転中の単独衝突事故で亡くなりました。

ジャクソン・ポロックの代表作の一つである『No.31』（巻末写真参照）にも触れておかなければなりませんね！

正確には『One: Number 31, 1950』と名づけられ、ＭｏＭＡで展示されています。この作品は１９５０年に制作されたもので、ポロックの代表的なアクションペインティングの一つです。

とっても大きなキャンバスに制作された非常に抽象的な作品で、線、色彩、形状が複雑に組み合わさり、見る者にさまざまな解釈や感情を呼び起こします。

あなたの心には、何が浮かぶでしょう？　どうか自由に楽しんでみてくださいね！

第6章

ウォーホルに学ぶ「影響力」の法則

新時代をつくる君へ

〈トゥルルル〉

「もしもし……ダレですか?」

「おー、タケオ、どないしたんや〜。まだニューヨーク? なんかお前、有名人になってるで。関空で報道陣が待ってるけど、いつ大阪に帰ってくんの?」

「……はい……会社からも連絡があったんですが……怖くて電話には出られなくて」

「お前、一躍ヒーローやで。1億回再生ってすごいやん。風変わりな日本人サラリーマンがトイレで発電って、おもろすぎやろ」

「いや……あの、実は、かなり落ち込んでて……日本の恥とか、バカとか、アンチな書き込みをたくさん見てしまって。僕、生きててもしょうがないのかも」

「あー、あれね」

「……はい……実家に嫌がらせの電話もあるみたいで。これからどうすればいいのか……」

「お前、何でそんなしょうもないことで悩んでんの? それに、まだニューヨークでラッキーやで。サルバドール・ダリの後輩に相談すればいいんやん、ワイ電話しとくからさ！　ああ、そうそう、今回はいつもとちょっと違うことが起きるから、お楽しみに」

（ダレにお楽しみに、と言われても悪い予感しかないんだけどね……）

それでも、藁(わら)にもすがりたい状況だった。動画がバズり始めたときは、これは〝メメモリ〟の宣伝になるぞ！　と興奮した。それに、正直に言えば、自分が話題になっていることも、単純に嬉しかった。でも……。

最初は好意的なリアクションが多かったものの、時間が経つにつれてＳＮＳにはネガティブな書き込みが溢れるようになった。見ないほうがいいとわかっていても、気になって見てしまう。

塞ぎ込んだ気持ちを振り払うようになんとかホテルの部屋を出た僕は、ダレから聞いたマンハッタンのとある住所へと向かった。

ダレに聞いた住所は、公園だった。ここにアーティストが来てくれるのだろうか……。

ふらふらと歩きまわっていると、レンガの壁に水が流れ落ちる、小さな滝を見つけた。

マンハッタンのど真ん中にまさか滝があるなんて！　すごい！　やっぱり水はどこにでもある、ここでも発電できそう……と眺めていると、ふっと意識がとんだ。

ザ・ファクトリー

あれ、どこからかちょっと昔のかっこいいロックが聞こえてくる。

意識が戻ると、さっきなかったビルが、目の前に現れていた。

(どこだ、ここは……⁉)

あたりを見回せば、景色が全然違うし、道行く人々の服もなんだかレトロチックだ。誰もスマホを持っていないし、さんざん見かけているニューヨーク名物イエローキャブの形もなんだか違うような……。道端に落ちていた新聞の日付を見ると、1969年とある。僕は、過去にタイムトリップしたのだ!

ダレが「いつもと違う」と言っていたのは、このことだったのか……。

愕然としているところへ、記者のような男たちの集団がやってきた。その波に押されるように、目の前のビルディングへと足を踏み入れる。僕はとっさにポケットの飴ちゃんを口に放り込んだ。

建物の中は全てきらびやかなシルバーで覆われているスタジオで、ミュージシャンやモデルらしき人がカウチでたむろしている。工場の奥に目を移せば、アートワーカーたちが働いていて、写真をシルクスクリーンに転写し、色をつけたアート作品を大量生産していた。現実離れした世界に圧倒されていると、記者の一人が叫び始めた。

「白いモグラはどこだ！」

すると、銀色の髪をした青白い顔の男が静かにやってきて、こう返した。

「

アートの名言
24

もしアンディ・ウォーホルの全てを知りたいのなら、私の絵と映画と私の表面だけを見てくれれば、そこに私がいるはず。裏側には何もないよ。

それじゃ」

そう言って男はスッと彼らを通り越し、僕のほうへとやってきた。

「君がタケオ？」

「はい、ダレ……あ、サルバドール・ダリから、言われて来ました」

「うん、聞いてる。アタクシはアンディ・ウォーホル。そして、ファクトリーへようこそ、ここはアタクシのスタジオ。アンチで悩んでるんだって？」

アンディの冷静な声は、僕にはとても無機質に聞こえた。

「実は僕の動画が世界レベルで広まって……たった数分間で有名になってしまって」

「

アートの名言 25

誰もが15分以内に有名になる、そんな時代が来る。

それもう常識だからね。だから何？（ソー・ホワット）」

アンディの「だから何？」という言葉が、僕の胸に刺さった。

「日本にいる家族や会社にも迷惑をかけてます。死ねとか、僕を殺す、という人さえ出てきて。どうすればこの恐怖から逃れられますか？　どうして僕がこんな目に……」

アンディは、声と同じ無機質な眼差しを僕に向けて言った。

「

アートの名言 26

いつまでもウジウジ悩んで惨めな気持ちでいる代わりに、〝だから何？(ソー・ホワット)〟で終わらせることだってできるんだよ。

アンダースタン？」

その言葉を聞いてハッとした。惨めな気持ちで、僕は悩んでもどうしようもないことを延々と考えている。そこに、冷静なアンディの言葉がおまじないみたいに響いて、急に酔いが覚めたように我に返った。

「だってそんなに悩んだって、何も変わらないでしょ。

アートの名言
27

自分について何か書かれたとしても、内容は気にしちゃいけない。大事なのはどのくらいのスペースが割(さ)かれているかしかないのよ。

第一、会ったこともない人たちのために君、生きてるわけじゃないし」

そうしてる間に、すかさずアンディのファンが、「アンディさん、サインしてください！」と僕たちの間に割って入ってきた。アンディは、優しく微笑んで冷静に対応している。記者や有名人やファンや取り巻きに囲まれても、一切動じないのはすごい。

感銘を受けると同時に、なぜアンディがこれほどまで人気があるのかがなんとなくわかった。

アンディの無機質な言葉と表情には目に見えない絶大な力があるんだ。

僕は、アンディのように、少しずつ冷静さを取り戻していった。

「アンディさんって、すごく忙しいんですね」

「そうなの、一人になる時間が全然なくって、この後バスキアが来るから、あまり時間ないんだけど。ちょっとこっちに来てごらん」

マリリン・モンローのシルクスクリーンを指差してアンディはこう言った。

「アタクシはね、アートを誰でも楽しめる大衆のものにしたの。この作品はマリリンが死んだ後、すぐに作ったものなのよ」

マリリン・モンローの作品を見上げた。カラフルな色彩から、亡くなったマリリン・モンローを想像することは難しい。彼女が亡くなった後も、美しく華やかなマリリン・モンローだけが、そこに存在している。

「これは不謹慎だとか、いろいろなことを言われたわ。アタクシの作品のテーマは社会現象やどこにでもあるものをモチーフにしていることが多いからね。田舎から出てきた素朴な青年にとって、ポップアートは自分が貧乏から脱出する手段だった。新聞に載るようなゴシップ的な作品もいっぱい作ったし、銃で撃たれて死にかけたこともある」

アンディは目を瞑ると、自分の胸の辺りをゆっくりと触った。恐らく銃で撃たれた箇所なのだろう。

「世間は上っ面しか見ていないから、仮面をつけて生きることにしてたのよ」

「仮面……？」

「そう、仮面。人はいろいろなマスクを被って生きているでしょ。たとえば、家族との自分、恋人との自分、社会での自分は全然違うわよね。じゃあさ、本当の自分ってどれかわかる？」

（本当の自分？）

「アタクシはね、知らないうちに、マスクの外し方を忘れてしまって、自分の心をどこかに置き去りにしてしまったのよ。でも、確実に言えることは、マスクをしていたことで、成功したのよ」

そう言いながら、アンディは煌びやかなファクトリーを見渡した。

「だから、どう思われるかなんて、大した問題ではないの。それよりも、今は本当の自

分の心を探しているのさ。アタクシの部屋に来てみる？」

アンディは別の部屋に来るよう手招きした。

◆外では「仮面」を、内では本当の自分を

「こっちに来て」

その部屋には、イエス・キリストの絵がかけられていて、十字架の置物や、キャンドルが飾られてあった。

「実はね、毎日、イエス様にお祈りをしているのよ。サルバドール・ダリの友人の君だから教えるけれど、本当は毎日怖くて仕方がなかった。アタクシは、銀色のウイッグをかぶり、整形をして、長い間強い自分を演じていた。

だから本当の自分を誰にも見せることができなかった。外ではマスクを被って、画家アンディ・ウォーホルという人物を演じる必要があった。でもね、今は毎日思ったことを全て赤裸々に日記に残している。本当の自分を取り戻すために」

「アンディさん、僕もやっと……自分らしく生きるってことが少しずつわかってきたんです。そんなときだったから、アンチに攻撃されたことがショックで、どうすればいい

のかわからくなって」

僕は声を詰まらせた。

「

アートの名言
28

人生は、繰り返し見るたびに変化していく映像の集まりのようなもの。

アンチのことよりも、自分を認めることができるまで、自分と向き合いなさい。そして自由に変化し続ければいいのよ。本当の自分が見つかるまで」

その言葉を残して、アンディは歩き去った。銀髪が軽やかに揺れるのを眺めているうちに、ふっと意識が遠のく。

次の瞬間、気がつくと、元いた現代の公園に戻っていた。

とりあえずスマホを開いて現代にいるのを確かめると、日本では著名人が不倫しているニュースで持ちきりになっていて、僕の話題はどこか遠くに消えてしまっていた。

「人生は、繰り返し見るたびに変化していく映像の集まりのようなもの」

僕はこの言葉を胸に、日本に帰国することにした。


勇気を出して前を向いて歩いていくと心に決めた途端に、あれだけ僕を悩ませていたアンチは僕の心の中で存在感をなくしていき、いつの間にかただの映像のように僕から過ぎ去っていった。

トミーさんの「現代アートのうんちく話させて」

「時代」をそのままアートにしたアンディ・ウォーホル

トミーです！

アンディ・ウォーホルといえば、現在ニューヨークのＭｏＭＡに所蔵されているキャンベルスープ缶の作品を見たことがあるのではないでしょうか。

アンディ・ウォーホル（Andy Warhol）は、１９６０年代に「最も影響力のあった人物」に選ばれ、アートという枠を超えるほどの人気を誇るアイコン的存在でした。

ポップアートの巨匠と言われ、アメリカの戦後の大量生産、大量消費の時代を象徴するような作品を次々と発表し、「オリジナル一点もの」が主流だったアート業界に旋風を巻き起こしたアーティストでもあります。

そして何よりも、アンディは「時代・社会のあり方をアートにした」第一人者だったのです！

「作品は流通すればいい」という信念のもと、庶民に身近なものをテーマにシルクスクリーンで大量生産し、数々のヒット作品を次々に生み出しました。それができたのは、「その瞬間瞬間に人々が求めているものを提供する」という、時流に乗ったやり方をアートに起用していたからでもあります。

この割り切った手法によって、アンディには多くのファンができましたが、同じようにアンチも増えていきました。SNSはない時代でしたが、現代にも繋がる問題点が生まれ始めていたんですねえ……。

さて、そんなアンディの人生は、どうやって形作られていったのでしょうか。

アンディ・ウォーホルは1928年、アメリカのピッツバーグで生まれました。チェコスロバキアから移民としてやってきた親のもと、2人の兄を持つ末っ子でした。決して裕福とは言えない家庭に育ちましたが、信仰深い両親と共に毎日カトリックの教会に通っていました。

小学3年生のとき、アンディは顔や手足に痙攣(けいれん)が起こるシデナム舞踏(ぶとう)病にかかってしまいます。その後、学校に行くことができなくなり、引きこもりになりますが、そのことがきっかけでアーティストとしてのアンディ・ウォーホルが形成された、と後に本人が語っています。

肉体労働者だった父はアンディが14歳のときに亡くなり、その頃から本格的にカーネギー工科大学で商業芸術の勉強を始めます。

大学卒業後はニューヨークに移り、商業デザイナー、イラストレーターとして成功しますが、個展をしても作品は売れず、アーティストとしては苦戦していました。そのため、イラストレーターからファインアートの道に進むことになったのです。

1961年、アンディ33歳のとき、「キャンベルスープ缶」の作品を発表したことで大きな転機が訪れます。それまでアートは、まだまだ高尚なものであるというイメージがあったのですが、一般の人が目にするものへとモチーフを変えたことにより、世間の人々の目に留まるようになりました。

これこそ、ポップアートが生まれた瞬間なんですよ！

アンディは翌年からシルクスクリーンを使って、作品を量産していくことになります。大衆的な存在の代表だったマリリン・モンローの死後、すぐにシルクスクリーンで色違い作品を量産したり、新聞を騒がせる事件やゴシップをモチーフにした作品を手がけるようになりました。

36歳になったアンディは、内装をシルバーで手がけた「ファクトリー」を完成させます。アートワーカーを雇って作品を量産していくのですが、「アトリエ」ではなくわざわざ「ファクトリー（工場）」と名付けたことに、アートに対するアンディの徹底した考えが表れていますよね。

そのファクトリーに有名人を出入りさせ、一躍時代の先端をいくアーティストになったアンディ。さまざまな批判も浴びたものの、現在では、アメリカを代表する現代アーティストの一人と認められています。

代表作でもある『撃ち抜かれたマリリン』（Shot Marilyns）は、1964年に制作されたもので、その2年前に他界したマリリン・モンローのポートレートを題材としています。

この作品、2つの意味でアンディらしい衝撃をアート界に残しました。

一つめは、「アートへのアプローチ」。何がすごいって、マリリン・モンローという稀代の大スターを題材に「マスメディアがつくるイメージ」自体をアートに変換しちゃったことなんですよ。

もう一つは「事件性」です。実はこれ、色違いで5枚つくられたシルクスクリーン作品だったのですが、そのうちの4枚がなんと銃で撃ち抜かれているんです！

え？　どうしてそんなことになったのかって？　当然気になりますよね……。

実はアンディが作品を壁に立てかけておいたところ、知人がいたずらで撃ち抜いてしまったからなんです（「撃っていい？」と聞かれたのを「撮っていい？」という意味だと思った、という話です。どちらも英語はshootなので……）。

この作品のインパクトは現代にまで続いています。2022年5月9日、4枚のうちの1枚『撃ち抜かれたマリリン／ショット・セージブルー・マリリン』が競売にかけられると、なんと1億9500万ドルで落札されたんです。これは世界で最も有名なオークションハウスであるクリスティーズの最高価格を更新し、美術品オークション全体でも史上2位の高値でした。

これからもアンディは世間を賑（にぎ）わせ続けるのかもしれませんね。

ランちゃんのユング心理学ってなあに?

仮面とペルソナは使いよう

仮面(マスク)の話って、ほんっと身につまされちゃう!

あ、ランです。

私も、彼氏や親の前では「いい子ちゃん」のマスクをしてたんですよね。家族に見せる顔、会社の同僚に見せる顔、友人に見せる顔、恋人に見せる顔、SNSで見せる顔……あなたはどんなマスクをつけていますか?

ユング心理学における「ペルソナ」とは、「個人が社会的な環境で他人との関係を築く際に形成される、外向的な社会的仮面や役割」を指すんですって。

そもそもペルソナとは、古典劇において役者が用いたマスクのこと。人間がこの世で生きていくためには、外界と調和していくためのその人の役割にふさわしいあり方を身につけていなくてはなりません(これが大変なんですけどね……)。

外的環境は個人に対していろいろな期待をし、その人はそれに応じて行動しなくてはなりません。教師は教師らしく、あるいは母親は母親らしく、子どもは子どもらしく行動することが期待され、いわば、人間は外界に向けて見せるべき自分の仮面を必要とするってわけです（だからこれが大変なんだってば！）。

でも、ですよ。他人軸で演じてばかりいると、弊害もあります。

他人との付き合いに専念しすぎて自分の「心」を忘れてしまい、極端な話、本当の自分を知らないままに人生を送る人もいるかもしれません。

てなわけで……仮面と本当の自分のバランスが難しいわけですが……あなたが今ペルソナの概念をざっくり知っただけでも、かなりプラスです（興味がある方は詳しく学んでもらえれば、個人の内面と社会的な要求との関係を理解するのに役立ちますし、自己認識と内面との調和を追求するうえでもヒントがたくさんあります）。

とりいそぎ大切なのは、ペルソナについて認識しつつ、その役割に囚（とら）われすぎないこと。これが個人の成長と自己理解に繋がるってことだけは、押さえておいてくださいね！

第7章

バンクシーに学ぶ「使命」の法則

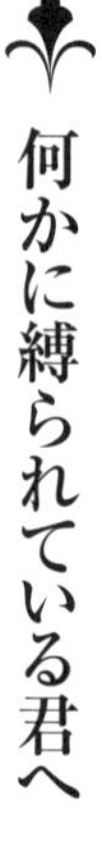

何かに縛られている君へ

ＳＤＧｓコンペティションの結果が出た。

アワード獲得は……ならなかった。


でも、それは思いがけない理由からだった。

審査員からは「エンターテイメント性が高く、臨場感もあって、最高のアクションプレゼンテーションだった」と好評だったものの、水力発電の実演に関する許可をエンパイアステートビルディングに取っていなかったために、施設の方針や安全規定に反したとなってしまったのだ。


僕はと言えば、日本に帰ってはきたものの、ぼーっとしてしまうことが多い。

仕事は順調だし、アンチたちの興味はほかの炎上案件へと移って、僕への誹謗(ひぼう)中傷も落ち着いた。それなのに、心にぽっかり穴が開いたような、何かが足りないような気持ちが続いている。アワードを逃してしまったこともあるが、この気持ちは一体何なんだろう。

僕はこれからどうしたいんだろうか。

そんなときだった。僕のプレゼン動画を見たという大手映像会社ラッキーチューブの社長から直々（じきじき）に連絡があったのは。

僕専門のチャンネルを開設したいというオファー。しかも、社員としてプレゼン講師にもなってほしいということで、金銭的にもすごい条件だ。

このオファーを受ければ、新しいキャリアの道が開けるかもしれない。だけど、球電工は辞めないといけない。

明日、僕はその社長と面談をすることになった。

映像会社ラッキーチューブ

東京の六本木にある外観がガラス張りの高層ビル。入居している会社には、テレビで聞いたことがあるような有名ＩＴ企業がずらりと並んでいる。その中にラッキーチューブもあった。

ビルの中を行き来する人たちは、若くておしゃれな人ばかりで、外国人も多く、英語がそこかしこから聞こえてくる。警備は厳重で、エントランスは全て顔認識システムになっていた。ドギマギしながらそれを通過した僕は、エレベーターで25階まで上がった。

「ウェルカム、タケオくんだよね！　僕のこと、ハリーって呼んでね。本名は季節の春と書いてハルだけど」

僕よりは年上の30歳前後だろうか？　頭の切れそうな風貌に、細身のスーツを嫌味なく着こなしている。ラッキーチューブの社長、鎌倉春が、ホテルのような雰囲気のオフィスの前で歓迎してくれた。

「ハリーさん、初めまして！　嬉野タケオです。素敵なオフィスですね」

「でしょ。ここにはいつでも来てくれていいからね。そんなことより早速だけど、タケオくんのユーチューブ1億回再生動画は驚きのコンテンツだよね。あれ、どうやって作り込んだの？」

「あれは、作り込んだものじゃなくて……。プレゼンのベースは偶然の産物なんです。なんて言ったらいいか……無意識に自分と一体化した結果、ああなっちゃったんですけど。それと……すごいアーティストから教わったから、できちゃったんですけどね」

「タケオくん、かなり先行っちゃってるね。すごくいいよ。これからの時代は〝物〟ではなくって〝経験〟が価値になる。ＡＩだって作れないようなことじゃないとね」

「それだったら僕、誰にも信じてもらえないような……すごい経験してます。たとえば、ロンドンでホルマリン漬けにされそうになったり……」

「わ、ぶっ飛んでる」

「実は、現代アーティストから、現代アートをビジネスに応用する方法を学んで……それで僕は人生が一変したんです」

「それは、すごい!!　よくわかんないけど、新しいコンテンツだ！」

「はい、誰でも、現代アートのような価値を作り出せると思います」

「タケオ君は、今、サラリーマンだよね。球電工だっけ、その会社は君の才能を伸ばしてくれる？　夢を叶えてくれるの？」

「今は、信頼できる上司に恵まれて、楽しく仕事してます。特に、不満もないですね。急に才能とか夢って言われても……」

戸惑っている僕を優しく受け止めるように、ハリーは微笑んだ。

「じゃあ質問を変えようか。サラリーマンってさ、本当に自分がしたいこと？」

「うーん……本当にしたいことかと言われたら、難しいですね」

「だよね。僕はそれを見抜いたのさ。タケオ君がしている経験は10億円以上の価値があるのに」

「じゅ、10億円⁉」

「そんな価値を作り出せる君が、なぜそこにいる必要があるのかな？」


その後、ハリーは自分の半生を語ってくれた。

横浜で生まれ、親の転勤によってアメリカのLAで育ったバイリンガル。ハーバード大学のMBAを取得後、ラッキーチューブを立ち上げ、経営している。それだけではなくM&Aで買収した会社を世界中にいくつも持っていて、起業家としてだけでなく投資家としても、グローバルに幅広く活躍しているとのことだった。

子どものときから、資本主義の精神を叩き込まれたせいか「共存」よりも「独立」を重んじているそうだ。ハリーは、僕とは住む世界が違う、まるで絵に描いたようなエリートだった。彼と組めば、新しい世界が開けるのは間違いなさそうだった。

BAR モダン

「タケオ、アワード残念やったな！　でも動画で有名になったんやし、ま、また頑張ればええやん。でもお前最近、心ここにあらずやけど、どないしたん」

アップルマティーニをすすりながら、ダレが僕に話しかけてきた。

「ニューヨークでのプレゼン以来、〝メメモリ〟はかなり売れています。軌道に乗せることができたし、僕としてはもう一段落かなって……で、実は会社を辞めようかと思ってて」

ダレの目が一瞬光ったのは気のせいだろうか？

「お前のあのプレゼン、ホンマすごかったよな。ポロックも思った以上のアクションを見せてくれたって、大喜びして褒めてたで。それからアンディにも、感謝されたわ。お前が親身に話聞いてくれたって。俺も鼻が高いよ。で、タケオ、なんで会社辞めるん？」

「僕の中では、やりたいこともできたし、もう……ある程度は満足したので、次は新しい何かに挑戦したいんです。本当の自分も見つけたいし」

（どう思ってるんだろう？）

ダレの心の中が読めない。

「タケオ、お前さ、今まで何のために……仕事やってたん？」

「何のため？　小水力発電も何も、そりゃ、生活のためですよ」

「え？　単なる生活のため？　そんで会社辞めてどうするん？」

「実は……大手映像会社の社長にヘッドハントを受けてて、例の動画を見て僕のチャンネルを作りたいと。それが、すごい給料なんですよ。友達にも相談したら、そんないい条件、この先絶対ないぞって言われたくらいで」

「……お前、そんなヤツやったんか」

「そんなヤツって……ダレも『めっちゃ、ええやん～』って言ってくれると思ったのに。いいオファーを受けることの何が悪いんですか？」

「お金の条件だけで、お前の意志は簡単に変わるんかな。なんかお前カッコ悪いで。

アートの名言
29

ほとんどの人間が主体性を使ったことがない、なぜなら誰もそうしろと言われてこなかったから。

ダリの後輩、バンクシーの言葉や。内緒やけど、今あいつ瀬戸内海の小豆島（しょうどしま）におるらしいねん。いい機会やから、タケオはバンクシーから学んだほうがええで」

「え！　嘘！　バンクシーなら僕も知っています。誰もその素性を知らないという、神出鬼没、正体不明のアーティストですよね？　日本にいるんですか？」

「そう。近々、お茶しませんかって、あいつから電話あってん。エンジェルロードってところで、目印に『花束を投げる男』のTシャツ着て壁画描いてるからってさ。

アートの名言 30

空に城を建てるのならば、建築許可はいらない。

だって。何か企てるみたいやで」

「へー面白そう。でもなんで小豆島なんでしょうね？」

「小豆島って、3年に1回瀬戸内国際芸術祭ってのが行われているのよ。バンクシーがいるってことは、これから日本はアートで盛り上がるってことじゃないの？　確か草間彌生のカボチャの作品も直島にあるし」

「日本がアートで。それは夢がありますね！」

「あいつ、普段はマジ連絡とられへんのに、自分めっちゃラッキーやで」

そう言うと、スーツの内ポケットから飴ちゃんを取り出したダレは、僕のポケットに無造作に押し入れた。

「これ、いま流行ってるパイナップルの飴ね。やばいやろ」

呆れて何も言い返せない僕を尻目に、ダレは珍しく足取り軽く、「今日は北斎とたこ焼きパーティーやから忙しいねん〜。ワイ、買い物担当やから」と言いながら、そそくさとＢＡＲモダンを出ていった。

それにしてもだ……世界的に有名なアーティストなのに誰もその正体は知らないという謎の存在、バンクシーに会えるなんて。そう思うと興奮を抑えきれず、その夜は一睡もできなかった。

せっかくだからサインをしてもらおうと、僕も『花束を投げる男』のＴシャツを購入して、それを着て小豆島へ行くことにした。

小豆島・エンジェルロード

高松から高速フェリーで30分ほどで、瀬戸内海にある小豆島の土庄港(とのしょうこう)に到着した。最近では外国人観光客にも人気らしく、日本語以外の言葉が耳に飛び込んでくる。オリーブの木が道のあちらこちらに植えられていて、ふんわりとした潮風と美しい景色に、まるで異国の地にいるような気にさせられた。

ふと、自分が着ているTシャツに目を落とす。プリントされている『花束を投げる男』はバンクシーの代表作でもあり、パレスチナにある建物に描かれたものだ。

バンクシーの「争いを平和的に解決したい」という願いが込められたこの壁画は、世界中で「平和の象徴」だと言われている。平和が訪れたら、絶対に本物の壁画を見てみたい。

小豆島にあるエンジェルロードは、1日2回の干潮時にのみ渡ることができる神秘的な砂の道だ。満潮時には海の中に沈み、干潮時の前後3時間は道が海の中から出現する(日本でも数少ないトンボロ現象というものだそう)。すると、向かいにある島まで砂のストリートを渡ることができるのだ。

ちょうどこの時間帯は、島までの道が浮かび上がっていた。砂の道をゆっくり歩いていると、太陽の日差しが優しく僕を照らして、海の匂いが心地よい。

「ああ……なんて平和なんだろう」

平和の象徴であるオリーブの島「小豆島」、そして、天使の散歩道と言われるエンジェルロードに、バンクシーは心を癒しに来たかったんだろうなと思った。

僕は、ポケットから取り出したパイン味の飴ちゃんを口に含んだ。

争いをもたらすのは誰？

15分ほどエンジェルロードを歩いていると、海岸沿いに、ネズミ色のパーカーを着て猿のマスクをした男が海を眺めているのが見えた。

ちらっとパーカーの中を見ると、着ているTシャツは『花束を投げる男』のようだ。

（彼がバンクシーか？）

僕はその男のそばまで行って、おそるおそる声をかけてみた。

「バ、バンクシーさん？」

「

アートの名言 31

世界をよりよい場所にしたいと願う人ほど、危険なものはない。

誰もが勘違いしている」

その男は独り言のように呟いた。表情はマスクで見えなかったが、言葉は深い感情に包まれている。

「あの……どうして、そう思うんですか？」

「

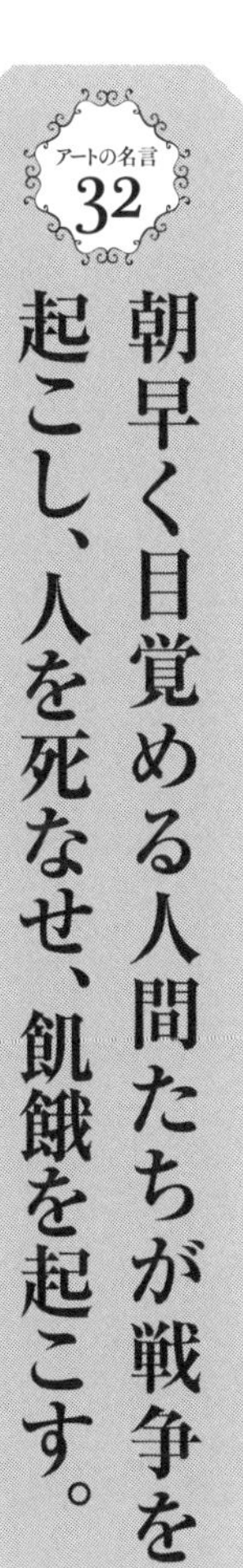

だからさ」

僕は、その男のイントネーションが少しおかしいことを見逃さなかった。

「あれ、あなたは本当にバンクシー？」

「……そうだけど」

少しかすれ気味の聞いたことがある声が気になったので、着ているTシャツをもう一度よく見る。

すると、花束を投げている男の顔にはツンと上を向いた髭が描かれていた。

（何これ、パチもん？　でも、どこかで見たことある顔だな……）

「すみません、ちょっと失礼します」

僕は思い切って男に近づくと、その顔を正面から覗き込んだ。

「ちょっと見ないで。ワイ……いや、僕は正体不明だから、顔は見せられないのさ」

「ワイ？」

「……」

「さっきからイントネーションがおかしいですよ」

「そんなことおまへんで」

「完全におかしいじゃないですか。じゃあ、質問ですけど、バンクシーの代表作は、なんですか？」

「代表作は、そんなもん……『花束を投げるダレ』に決まってまっせ」

「え、今、ダレ……って言いましたよね」

「オイオイ、失礼やな！　お前!!」

「すみません！　たいへん失礼しました。あなたは本当にバンクシーなんですね」

男は、頭に被っていたパーカーのフードと猿のマスクを急に外すと、ニヤニヤしながら舌を出して〝ドッキリ大成功!!〟と書かれた看板を僕に見せた。

「すんまへーん、ダレでおます、はははははは、めっちゃ嘘」

ダレはクルクル回りながらガッツポーズして、「ドッキリ大成功！」と叫んだ。

「実は、バンクシーとは繋がってなくて。マジあいつ正体不明やから。タケオをうまく騙せたみたいやね。この『花束を投げるダレ』Tシャツ、昨日徹夜で作ってんで、タケオの分もあるよ」

僕は、唖然（あぜん）とした。

「あの……僕、バンクシーに会えると思って、すごく楽しみだったんですけど」

「世界中の誰にも正体を見せないバンクシー様に会えるとでも思ってたん？　虫がよすぎるで。まあ、ええやん。ダレがバンクシーに代わって、お前に名言を授けるから。

アートの名言
33

何かを発言して、人に聞いてもらおうと思うなら、仮面を被らなければならない。正直でいたいなら、嘘をついて生きなければならない。

ホンマ身に染(し)みる」

ふたたびパーカーのフードと猿のマスクを被り、ステンシルとスプレーを持ち出したダレは、駐車場の壁に吹き付けた。

「社会に訴えるには、バンクシーのようにスプレーとステンシルだけあれば十分。
もう一回言うからな、耳かっぽじってて聞いときや。
〝朝早く目覚める人間たちが戦争を起こし、人を死なせ、飢餓を起こす〟
あともう一つ。

アートの名言
34

この世界で最大の犯罪は、ルールを破る人たちによってなされるんじゃなく、ルールに従い続ける人たちによってなされる。

すごいこと言うわ」
一瞬〝ハッ〟とした。今までの常識が壊された瞬間だった。
「ルールを守る人が戦争を起こすなんて……そんなこと、僕、今まで考えたこともなかった」

妄想が並外れたものをつくる

ダレは笑いながら、話し続けた。

「バンクシーのアートはめちゃくちゃ深いよ。人が声を大にして言えない社会的、政治的タブーを、アートで表現して議論を巻き起こしてる。世界中のみんなが関心を示すようにな。

そもそもアートって、金持ちの子どもがアートスクールに行ってアーティストになって、そのアートを金持ちが買うだけのちっぽけな存在じゃないんやで」

「僕、バンクシーってただかっこいいと思ってました。少し恥ずかしく感じます」

「タブーを口にするのも大事や、みんなの力を一つにするためにな。バンクシーはアートを武器にメッセージを発信して、みんなが何かを考えるきっかけになって、それが人を変えるパワーに変わることを知ってるねん」

「人を変えるパワーですか」

「タケオのプレゼンだって、人を変えるパワーがあったやん。

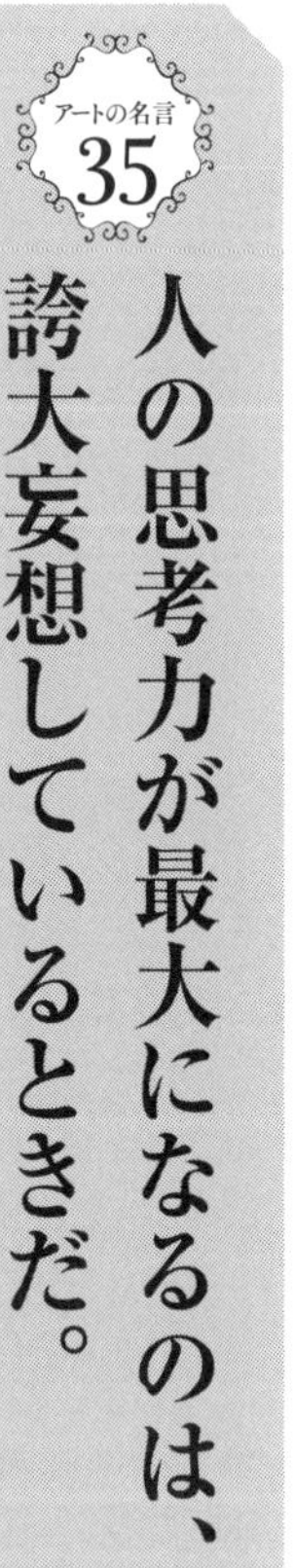

アートの名言 35

人の思考力が最大になるのは、誇大妄想しているときだ。

　これをタケオもやってたってことよ。この世界でまた戦争が勃発してしまって、このままでは地球は保たへんかもやけど。そんな中でお前のような〝ＳＤＧｓテロリスト〟が出てきたから、未来の救世主かもやん」

「〝ＳＤＧｓテロリスト〟って！　なんか怖いからやめてください」

「いや、ホンマにこのままではこの地球は長く保たないんちゃう？　だからお前のような行動も必要なんやん。

　あのエンパイアステートビルディングだって歴史の象徴やろ？　そんな場所でお前が公共トイレの水を、魔法みたいにサステナブルなエネルギーに変えたんや。その時、世界中はハッと思ったはずや。〝この男は一人で、なにかを変えようとしている〟って」

ダレの手が止まって、僕の瞳をじっと見つめた。

「ワイは知っている……。

アートの名言 36

一つの独創的な考えは、1000の意味のない名言に勝る。

タケオ、お前はもっと世界に出ていくべきや」

ダレの真剣な顔に、僕は驚いた。

「でも僕の力だけじゃない。ダレとの出会いや、ピカソ、ダミアン・ハースト、ジャクソン・ポロック、アンディ・ウォーホルという現代アーティストの巨匠たちに出会ってなければ、僕は何もできていないじゃないですか」

「いや、お前のやった行動は、まるでバンクシーと同じように、心の奥深くに人類に共通する何かが秘められてるねんで」

（心の奥深くに、人類に共通する何かが秘められてるだって？）

「どこの国の歴史にも、人間に共通する神話やヒーローのストーリーが存在し、びっくりするほどの共通点があるねん。世界人類の心は、無意識の深い部分で繋がってる証拠やで」

ダレは、スプレーの手を止めて僕をしっかりと見つめた。

「

アートの名言 37

強者と弱者の争いから手を引けば、強者の側につくことになる。中立ではいられない。

バンクシーはただ有名になりたいわけでも、名誉やビジネスのためでもない。自分の姿を隠して危険を冒して世界へ平和のメッセージを送ってるねん。

一体タケオはなんのために生きてるんや⁉」

（なんのために生きているんや⁉）

僕の心に、ダレの言葉が突き刺さった。

「いいか、よく覚えとき。

アートの名言
38

才能を持ちながら成功していない人間ほど、この世の中に溢れかえっているものはいない。


人はバンクシーのことを〝芸術テロリスト〟と呼ぶけど、バンクシーがアートで伝え続けたことを、お前は知らん間に、誰も考えつかないようなやり方で世界へ伝えてしまったんやで！　わかってる⁉」

ダレは、ようやく完成した壁画を残して去っていった。それは、小さな子どもが水車のそばで、地球を想像している壁画だった。

そして気がつけば、エンジェルロードは跡形もなく海に消えてしまっていた。

トミーさんの「現代アートのうんちく話させて」
謎のアーティスト、バンクシー

こんばんは！　トミーです。

バンクシー（Banksy）の作品『風船と少女』が、ロンドンのサザビーズ・オークションでおよそ1億5000万円で落札された直後、いきなりシュレッダーにかけられた事件は、みなさんも衝撃的だったのではないでしょうか？

この「事件」はバンクシー自身が計画的に仕掛けたもので、高騰する美術品オークションビジネスへの批判だったと言われています（ただし結果的に断裁された作品は落札者が購入し、この事件以降バンクシーの作品に更なる高値がつくことになってしまいましたが……）。

バンクシーは、イギリス出身の謎のストリートアーティストであり、現代アート界で非常に有名な存在です。匿名で活動し、その正体は公には知られていませんが、壁画、ストリートアート、政治的なメッセージ、社会的な風刺を含む幅広いテーマの作品で名を馳せています。

特に、ステンシルアートと呼ばれる、型紙を用いたグラフィティを得意とするバンクシー。街中の壁に反資本主義や反権力など政治色が強いグラフィティを残したり、メトロポリタン美術館や大英美術館などの館内に無許可で作品を陳列するパフォーマンスなどにより、「芸術テロリスト」と称する者までいます。

このようにバンクシーの作品は、社会問題に対する意識を高め、議論を促す役割を果たしているだけでなく、アートの文脈から見てもストリートアートが一つの芸術形式として認識されるきっかけをつくったんです！

バンクシーが『花束を投げる男』（Love is in the Air）を最初に描いたのは2003年。パレスチナとイスラエルの占領地を隔てる分離壁ができたときのことで、作品はまさにその分離壁に描かれました。その後2005年に、バンクシーはパレスチナをまた訪れて、『花束を投げる男』をベツレヘムのガソリンスタンドの壁に描き、これがその後有名な観光スポットにもなりました（巻末写真参照）。

黒いマスクをつけた抗議者にも戦闘員にも見える男を描いていますが、手に持っているのは火炎瓶ではなく色とりどりの花束。紛争地域における平和への願いと、愛と非暴力の重要性が強調されています。

ランちゃんのユング心理学ってなあに？
「集合的無意識」のすごい力

ランです。

突然ですがみなさん、シンクロニシティって言葉、聞いたことありません？

「共時性」とも訳されるんですけど、今いちピンと来ない日本語ですよね……。

つまりは、別々に関係なく起きたいくつかの出来事が、一つのまとまった意味があるとしか思えないようなメッセージを伝えてくることを言います！

これって実は、「集合的無意識が意味ある偶然を起こす」というユングの概念なんですよー。

ユングは、人間の意識には、「個人的な無意識」以外に、「人類全体に共通する集合的無意識」があり、その集合的無意識は個人的無意識に影響を与える、と提唱しました。

え？　漢字が多いけど、具体的にどんなものなのかって？

はい、たとえば神話や伝説のヒーロー物語。これがなんと、集合的無意識の例だそうです。言われてみれば、世界的に共通するテーマ——母性、神秘、英雄、影、老人、子どもなど——が出てきますよね。

杖をついた老人のイメージは賢者だったり、グレートマザーという大地の母が登場したり。集合的無意識には「アーキタイプ」と呼ばれる普遍的なシンボルが必ず存在します。

これってなんでかって言うと、神話やシンボルは人類の知識と経験からできていて、集合的な記憶という形で時間に関係なく存在してるんですって！　ちょっと納得ですよね？

で、この集合的無意識ってやつが無意識を支えていて、文化や個人の違いに関係なく存在すると考えられています。集合的無意識は、個人の人生に深い影響を与え、人はその象徴を実践し、経験を通じて意味を身につけている……これがユングの主張なんです。

ヒーローが世界共通なのは、集合的無意識のなせる業だったんですね！

第8章

セザンヌに学ぶ「継続」の法則

✦そして、本当の自分を知る

「タケオは、なんのために生きているんや⁉」その言葉が僕の心に刺さって離れない。

BAR モダン

〈チャリンチャリン〉

「お！　有名人！　待ってたで。俺が描いた壁画いけてたやろ？」

「あれ……ダレが描いた僕の肖像画だってわかったら、大変なことになりますね」

「ほんまやで、どんだけ世間を騒がせてくれんねん。俺より目立ってきたやん、どうしてくれんねん」

ダレは、アップルマティーニを美味しそうにゴクリと一口飲んだ。

「せやけど、お前SDGsテロリストとは、知らんかったわ」

「もう……ほんと、それ言われるの怖いんで、やめてください」

「でも、100年後になって……もしお前がいなかったら今はないと、世間は思うかもしれへんで」

「僕がいなくても、世間は変わらないですよ」

「いや、お前がいなかったら、１００年後のこの地球はとんでもないことになってるかもやで」

「そうかな。僕の代わりはいくらでもいると思います」

「タケオ、なんでそんなにネガティブなん？」

「ネガティブ……ですかね。まだ、わからないんです。どうしたらいいのか」

「会社を辞めて、ユーチューバーになるかどうか？」

「それもそうなんですけど。そもそも、自分が一体なんのために生きてるのか……」


そうは言ったものの、ダレには全てお見通しだろう。

実は今朝、僕は球電工に辞表を書いていた。来月には時機を見計らって、提出するつもりだ。

振り返ると、球電工に就職し急な転勤があったから、この大阪にも来られたんだし（最初は相当辛かったが）、ダレに出会って、現代アーティストたちの成功の秘密を学べた。誰にも信じてもらえないような経験ができたのは、自分の人生において本当に奇跡だったと思う。

ダレに出会ってちょうど1年。僕は、本当の自分を見つけたいと思っていた。

現代アーティストたちとの出会いを通じて、将来はアーティストのような「表現者」になりたいという想いが少しずつ膨らんできていた。何を表現するかは今はわからないけれど、まずは、ユーチューバーとして新しい世界に一歩踏み出してみたい。

「ダレ、僕は球電工を辞めることにしたんです」

僕がそう言うと、ダレは優しく、悲しい目で僕を見つめながら言った。

「うん、知ってんで。

アートの名言 39

自分の強さを実感している人は、謙虚になる。

これはサルバドール・ダリの師匠であるセザンヌのお言葉や。セザンヌがいなければワイもおらん……いや、全ての現代アーティストは存在してないとも言えるわ。現代アートの起源やから」

「現代アートの起源？」

「ピカソのキュビズムだって、ワイのダブルイメージだって、ゴッホ、マティス、ポロックだって、みーんなセザンヌの影響なんやもん」

「そんなすごい人なんですね」

「全ては点と点が結ばれ繋がっていくもの。100年前にセザンヌがいなければ、間違いなくお前とも出逢えてないわ」

「名前は聞いたことあったけど……そこまですごい人だったんですね」

でも、ダレが話しているそのときですら僕は上の空で、頭の中はどのタイミングで会社に辞表を出すかでいっぱいだった。

「お前さ……絶対、セザンヌ師匠に会ったほうがいいよ。まだ間に合うわ。〝起源〟を知ることで未来を見つけ出すことができるから」

「でも、100年前の〝起源〟って、相当古いですね。昔のアイテムって今ではもう使えないことが多いじゃないですか。パソコンだって毎年アップデートされていて、昔の型は使えないし。今回はやめときます、忙しいんで」

バンクシーに成りすまし、僕を騙して喜んでいたことを、少し根に持っているのかもしれない。でもそれ以上に、会社を辞めることを決心したときから、これからは自分の力で未来に踏み出すと心に決めていた。

「タケオ、わかったわ。あ、そうそう、次はタケオの実家の林檎でアップルマティーニ作ってな」

僕は、目に見えない自信を信じて、初めてダレの紹介を断った。

球電工オフィス

「有田さん、話があります」

会社を辞めることを真っ先に伝えないといけない人がいた。

僕の上司である有田さん。

有田さんはよき先輩でもあるのと同時に、小水力発電イノベーション部を共に育て上げた同志のような存在でもあり、どんなときも陰で僕を支えてくれていた。一緒に失敗もたくさんしたし、取引先に頭を下げに行くときも、見本を見せてくれたのは有田さんだった。ニューヨークのプレゼンにも付き添いを買って出てくれて、とても心強かった。

そんな有田さんにこのことを話すのが、正直一番辛かった。辞表を出す前にまず、退社の意思を伝えておこうと思ったのだ。

「あの……僕、球電工を辞めようと思います」

コレクションの壺を磨いていた有田さんは、びっくりした様子もなく答えた。いや、壺を落としたらいけないから、びっくりできなかっただけかもしれない。

「そっかー。嬉野の人生やからな。お前が決めたんやったら、それが正しいと思うよ」

あまりにもあっさりとした答えだった。

実際、僕は有田さんに引き止められたらどうしよう……と考えていたのだけれど、すんなり受け入れられると、少し後ろ髪を引かれる思いがした。同時に、有田さんがいつも僕が一番やりたいと思うことを優先してくれていた過去が蘇ってきた。

「あの……前から聞きたかったんですが、有田さんはなぜ僕を推薦してくれたんですか？」

「面接のときに、嬉野が言った言葉に感動したからかな」

「え？　僕なんて言いましたか」

「いつかは尽きてしまうような資源に頼る人間の意識を、まず第一に破壊します！　って、叫んだの覚えてない？」

「ああ、そうでした」

「俺は、嬉野の強い意志に動かされたんや。その言葉を聞いて一緒に頑張りたいと思った。そしてお前は言った通りに小水力発電イノベーション部の歴史を作った。そのキラキラした目を見るのが俺は好きやったよ。これからも応援してるから、頑張れ」

有田さんがギュッと僕をハグしたら（ニューヨーク出張であちこちで見かけて取り入れたらしい）、いろんな思い出が溢れ出た。

それをグッと堪えて、僕は球電工の見慣れたオフィスを後にした。

それから数週間ほどは、動画制作の案件でハリーとミーティングで忙しくしていた。そして次の日、有田さんに辞表を出すと決めたこともあり、久しぶりにＢＡＲモダンに足を運んだ。

（ずっと、モダンに顔を出してないからダレ怒ってるかな、梅田でたこ焼きでも買っていくか）

BAR モダン

〈チャリン、チャリン〉

「ダレー！　ごめん、ごめん、最近忙しくってさ！」

珍しいことに、どこを見渡してもダレはいなかった。

「あれ？　いままでカウンターにいなかったことなんてないのに。ダレー？　どこー？」

テーブルの下を覗いてもどこにもダレはいない。

「マスター、ダレ見なかったですか？」

「ダレ？　どちら様のことでしょうか？」

「トミーさん、また冗談がきついな。あの髭が上に向いている変な関西弁のスペイン人のダレですよ」

「えー？　スペインの方はお目にかかったことはないですけどね……」

「え！　もしかして」

僕は悪い予感を抑えきれず、ダレに電話をした。


〈トゥルルル〉

「おかけになった電話番号は現在使われておりません」

もう1回電話してみる。

「おかけになった電話電話は現在使われておりません」

「もしかして……」

ダレと最後に交わした会話を思い出した。

「あ、そうそう、次はタケオの実家のリンゴでアップルマティーニ作ってな」

僕は、そのまま新幹線に飛び乗って、佐賀県の実家であるリンゴ園に向かっていた。

佐賀・リンゴ園

「ただいま、帰ってきたばい」

翌朝、僕はリンゴ園の水車の前に立っていた。佐賀に戻ってくると、ひとりごとも自然と佐賀弁になる。

空を見上げると、色とりどりのバルーンが大空を埋めんばかりにゆっくり舞っている。

(今日はバルーンフェスタの日やった!)

佐賀インターナショナルバルーンフェスタは、秋の風物詩として知られている熱気球競技大会だ。世界中から選手が集まるだけでなく、会場には特産物が並び、音楽イベントなども行われる一大イベントなのだ。

バルーンの中には、僕が子どもの頃から大好きだった、懐かしい赤いリンゴのバルーンもあった。

（ダレが、アップルマティーニば作ってって言いよったとに。ここにはおらんとやろうか……？）

僕は大きなため息をついた。

落ち込んでもしょうがないけれど、まさかダレが急に消えるなんて、思ってもみなかったことだった。

ぼーっと水車を眺めていたら、バシャバシャと勢いよく水が循環しているのが目に留まり、その瞬間、おじいちゃんに聞いたあの言葉が脳裏に浮かんだ。

「こん水車は、リンゴの命ば繋げとーとばい」

僕は、ハッとした。

ダレが言っていた〝起源〟って、この水車のことじゃないか……？

そうだ、ダレが、僕に最後に教えたかったことだ……。

「ダレ……もう会えないのかな……」

そのとき、近くに誰かの気配を感じた。

「あれ、ダレなの？」

よく見ると……そこにはリンゴの木をじっと眺めながら、イーゼルを立てて絵を描いている、麦わら帽子を被(かぶ)った年配の男性がいた。僕が恐る恐る近づくと、その男はゆっくりと話し始めた。

僕は、とっさにポケットに一つだけ残っている最後の飴ちゃんを口に頬張った。

「ワシにはゾラという親友がいてな。フランスに移民としてやってきてから、ずっといじめられとったゾラを、ワシが助けたんじゃ。そのお礼にリンゴをくれよってな。それからはずっとリンゴの絵を描いとるんじゃ」

「りんごの絵を？」

その男のイーゼルを覗いてみると、リンゴの絵がとにかくたくさん描かれている。

リンゴたちはいろんな角度から描かれていて、たくさんのリンゴが全体的に不思議なバランスを取り合って、その効果で一つひとつが独自の美しさを醸し出していた。

子どもの頃から見慣れているリンゴが、こんな風にキャンバスで美しく表現されていることになんだか嬉しくなった。

「あなたはもしかして……」

「ワシの名前はセザンヌ」

「あなたが……現代アートの父セザンヌさん！　あなたがいなければ、現代アートはなかったと聞きました。ピカソもゴッホ、マティスも、ポロックも、バンクシーも、サルバドール・ダリでさえ存在していなかった、と」

「いやいや、そんなことはない」

「ダレが……いやサルバドール・ダリがそう言ってましたから。ダリは、僕をあなたに会わせようとしてくれたんだけど、僕はおざなりにしてしまったんです」


最後にダレと会話したことを思い出した途端、自分の不甲斐なさに悲しくなった。

まさか二度と会えなくなるなんて、考えもしなかったから。

でもこうしてダレは最後に、セザンヌを僕に会わせてくれている。

「どうか、あなたの名言を、教えてもらえませんか？」

「ははは、名言なんてありゃしないよ。ただ、１００年前、ワシは一つのことを目標にしただけだ。

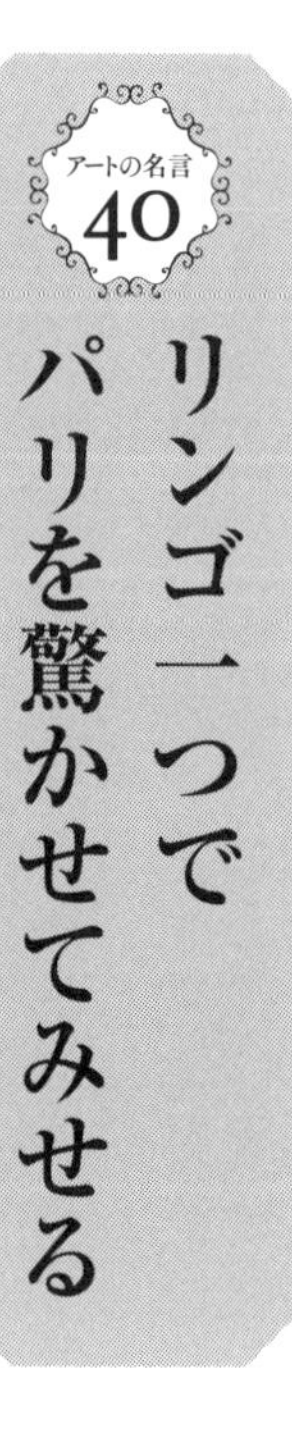

リンゴ一つでパリを驚かせてみせる

ってね」

そう言ってセザンヌが笑い出した。

「だが、ワシは、パリを通り越して世界を驚かせてしまったんじゃがね。ワシみたいに一つのことをずっとやり続けられるやつは世の中にはいない、ただそれだけさ」

体に電流が走った。

今まで現代アーティストたちから学び続けていたのに、僕は一番肝心なことを忘れていたんじゃないか?

セザンヌはリンゴをずっと描き続けることで、現代アートの歴史を創った……。

「さっきの話には続きがある。その後、親友のゾラと絶交してしまってな。それ以来、ゾラに会えなかったことを後悔しているんじゃ。ワシの人生の中で最も大切なことは何

かわかるかね？」

　まるで、ダレが最後に僕を見つめたときのように、優しく、悲しい眼差しでセザンヌは続けて言った。

「それは〝出会い〟じゃ。だから友情の印である〝リンゴ〟を今でもずっと描き続けておる。ワシが成功したのは、ゾラのおかげでもあるんじゃよ」

　僕は、胸が張り裂けそうになった。

「そうだ……お前に手紙を預かっているよ」

　セザンヌが差し出した手紙には、懐かしい昭和の香水の匂いと共にこう書かれてあった。

＊＊＊＊＊＊＊＊＊＊＊＊＊＊＊＊＊＊＊＊＊＊＊＊＊＊＊＊＊＊＊＊＊＊＊＊＊＊

タケオへ

気弱で、自分の意志で動くのが苦手

いつも、このままでいいのか……って感じながら
行動も起こさない
同じ毎日が過ぎていくだけの日々
そんな自分を見て見ぬふりしてたよね

タケオを見つけたとき
お前はそんなもんじゃないって思ったよ
お前はもっとすごいのに
他人の言葉に流されんと
いつか自分の魂に触れるときが来たら
自分の使命に気づくことができるヤツ
ってわかってた

でも腹たつんは
お前のその魂は、美しく清らかで
世界を救うことができるってことに

お前自身が気づいてないことや
タケオはたくさんの人に望まれて、ここにおるねんで

だから最後に伝えたいことがある
お前が気づくべきことは〝起源〟
そう、お前が今、おる場所のこと
セザンヌのように100年続くような価値を世界に届けるには
絶対に起源に立ち返ること

****

下手なポエムのような手紙。その最後にはこうあった。

****

じゃあ、フリーダとデートして家に帰るから、後は自分で考えて。

あ、これダレからの最後の言葉ね。

アートの名言
41
永遠に、君であれ

タケオのこと、ずっと見守ってるで。
アディオス!!

ダレ

＊＊＊＊＊＊＊＊＊＊＊＊＊＊＊＊＊＊＊＊＊＊＊＊＊＊＊＊＊＊＊＊＊＊＊＊＊

手紙を読み終わるとセザンヌは消えていなくなっていた。

誕生

いつの間にか空は夕焼けで赤く染まり、遠くではカラスの鳴き声が響いていた。僕は子どもの頃、この水車でよく遊んだことを思い出した。

これから僕はどうすればいいんだろう……。

大きくため息をついたそのとき、美しい夕陽が僕の顔を照らして目を細めた先に長い影が見えた。

「誰？」

よく見ると、こちらに向かって歩いてくるのは、見覚えのある面影をたたえる女性だった。

「萌音ちゃん？」

「え、タケオくん？」

「嘘、15年ぶり？」

小学校5年生のときに、僕が片想いしていた萌音ちゃんだった。

「本当に不思議。私ね、久しぶりにバルーンフェスタを観に来たのよ。そしたらふと、タケオくんのことを思い出して。いるわけないのに、と思ったけど、ここに来てみたの」

僕は愕然とした。僕だって、この場所に来るのは本当に久しぶりなのに。

「萌音ちゃん、今どうしてるの？」

「私は……今は東京で食品メーカーに勤めてるよ。東京の空気にはまだ馴染(なじ)めてないんだけどね」

そう言うと、萌音ちゃんは少し照れくさそうに笑った。

「タケオくんは、何してる？」

「僕は……小水力発電を広めるために大阪で仕事、頑張ってるよ」

「え、すごいね！　でも、水力の仕事してるの、わかるなあ。この水車、好きだったものね」

少し、間があいてから、萌音ちゃんが僕の瞳をじっと見つめていった。

「私、タケオくんに会って言いたかったことがあるの」

「え？」

「あのとき、リンゴ好きじゃないって言ったのを、悪かったなって思ってて」

「そっか、てっきり僕のこと嫌いなのかと思ってた」

「違う。本当は……いつもいじめから守ってくれてありがとうって、言いたかった」

萌音ちゃんのほっぺたが、まるでリンゴのように赤く染まっていた。

「ああ、そっかあ」

「今では、リンゴ大好きだよ。あのとき、私、歯の矯正をしててね……食べにくかったし、矯正してる歯を見られるのが嫌だったの」

僕は、体の中から何かが抜けていったような感覚を覚えた。

「タケオくんは、大阪でお仕事忙しそうだけど、また会える？」

「もちろんだよ。僕、東京にも出張で行くし、また食事でもしよう！」

それから僕は萌音ちゃんと思い出話に花を咲かせ、連絡先を交換して別れた。


日が沈む前に、木になっているリンゴを一つもぎ取ってみる。

「友情の印である〝リンゴ〟を今でもずっと描き続けておる……」

セザンヌの言葉は僕の心にまだ深く残っている。


僕にとっての〝リンゴ〟って一体なんだろう？

そうだ、僕にとっての〝リンゴ〟は、守るべき存在なんだ。

そのとき、僕の無意識がそっと教えてくれた。

リンゴの命を守る強い水車のように生きる。

水力発電とは、僕自身のことだった。

僕はその場で内ポケットでクシャクシャになってしまった辞表を取り出し、ビリビリに破った。

それは、「嬉野タケオ」という僕が生まれた瞬間だった。

トミーさんの「現代アートのうんちく話させて」

〝リンゴ〟で現代アートの基礎をつくったセザンヌ

みなさん、もうすぐお別れの時間ですね。トミーは寂しいです！
今度はBARモダンへ、ダレの大好きなアップルマティーニを飲みに来てくださいね。

セザンヌといえば、リンゴをたくさん描いた画家として世界でも有名です。フランスの印象派および後の近代絵画において重要な役割を果たしました。僕が絵画にハマったのも、セザンヌを知ってからでした。

ポール・セザンヌ（Paul Cézanne）は1839年にフランスで生まれ、父が銀行家という裕福な家庭で育ちました。父親の希望で法学部に通っていたセザンヌでしたが、親友ゾラの勧めもあって大学を中退し、アーティストを志して1861年にパリに移ります。その後、セザンヌの絵画はパリ・サロンの審査で落選が続き、長い間、美術界では認められませんでしたが、セザンヌは決して諦めず独自の表現を追求していきます。

セザンヌのアートのスタイルは「ポスト印象派」と呼ばれていますよ。物体や風景を幾何学的な形状として捉え、絵の具の品質にもこだわって斬新な色彩による表現を追求したんですね。

この革新的なアプローチは、20世紀の抽象絵画やキュビズムなどの美術運動に大きな影響を与えました。特に、物体の多面的な捉え方や立体的な表現を探求するアーティストたちに多大な資産を残したんですよね。

マティスとピカソはセザンヌのことを、〝近代美術の父〟と称賛しています。

そんなセザンヌの代表作といえば、『リンゴのある静物画』（Still Life with Apples）です（巻末写真参照）。

これは静物画のあり方自体を変えてしまいました。どういうことかと言いますと、静物画というジャンルが、物体だけでなく、光や空間の様子も忠実に表現する手段になりうることを示しちゃったんですね。

「自然から絵を描くことは、対象を模倣することではなく、自分の感覚を実現することだ」とセザンヌは言っています。

どういうことでしょうか？

『リンゴのある静物画』をよく見てみると……たとえば、ボウルの中の果物の端は不安定で、ずれているように見えます。視点のルールも崩れており、テーブルの右隅が前方に傾いていて、左側と揃っていません。キャンバスの一部はむき出しのままになっていて、テーブルクロスのドレープなどは、未完成であるかのように見えます。

にもかかわらず、全体的に見ると調和と安定が感じられます。

そこにあるものではなく、自分の目に見えるものをアートにする。

セザンヌが静物画で表現したのは、単なる生活の模倣ではなく、見ることと絵画の性質そのものの探求なのです。

そう、現代アートって生きることそのものなんです！

最終章

ダレの秘密

決心

僕が子どものときからやりたかったこと。

それは、リンゴの命を守り、繋げていく強い水車のように生きること。

映像会社ラッキーチューブ

「やあ、タケオくん。今日は契約書をかわす日だから、弁護士も同席させてもらうよ」

「こんにちは、嬉野さん。よろしくお願いします」

ハリーと同席した若い弁護士が挨拶をすると、分厚い書類をテーブルに置いて、僕のサインを待っていた。

「タケオくんも、これでトップクラスの有名人になるね」

「ハリーさん、一つ聞いていいですか」

「もちろん」

「どうして僕を……選んだんですか？」

「それは、タケオくんの動画1億回再生されたからに決まってるじゃない。10億円のコンテンツを持っているタケオくんは今が旬だからね、ブームはせいぜい1年も保たないんだから今すぐ行動しないと。君だって楽に儲けて、一生のんびりしたいだろ?」

「僕……ハリーさんに伝えたいことがあったんです」

「なんだい?　この後、シャンパンでも飲みたいとかかな」

「10億円の価値を作り出せる僕が、なぜ球電工にいる必要があるのか?　と聞きましたよね。僕は、そのとき何も言い返せなかったんですが、今でははっきりと言えることがあります」

「どうしたんだい、急に?」

「僕は、球電工が好きです。お金目的じゃなくて」

「は?」

「小水力発電イノベーション部を愛してるんです。だから、ごめんなさい」

「え?　どういうこと」

「僕は球電工を辞めません!」

　ハリーさんも弁護士も口をポカンと開けて僕を見つめていたが、僕は深くお辞儀をして、おしゃれでカッコいいホテルのようなオフィスを後にした。

球電工オフィス

その足で、球電工を訪れ、アポをとっていた有田さんに辞表を差し出す代わりに、きっぱり告げた。

「会社辞めるのを、やめました。僕のやりたいことはここにあったんだって、わかったからです」

有田さんは驚くでもなく、壺を撫でながら、ただ優しく笑ってくれた。

さて、やることが、あと一つ残っている。

僕は決心した。

ダレに会いに行く。

ダリ劇場美術館

やってきたのは、サルバドール・ダリの作品が最初に展示された場所であり、生まれ故郷でもあるスペインのカタルーニャ。そこに建てられているダリ劇場美術館だ。なぜなら、その場所がダリの〝起源〟だから。

最後にひと目会いたい。

今更遅いかもしれないけれど、僕はどうしてもダレに言いたいことがある。

ダレが手紙に残した「家に帰る」という言葉が頼りだ。

この美術館でダレに会えるという保証はなかった。ただ、僕の無意識が、ここに来るようにと僕を後押ししたのは確かだ。

そういえばピカソが僕に言ってくれた言葉がある。

(これから君の無意識はいつもいろんなことを君に教えてくれるからね)

ダレを通していろんなアーティストの成功法則を教えてもらっていたけれど、考えてみれば教えてもらうばかりで、僕自身はダレのことをちゃんと知ろうとはしていなかった。

僕はサルバドール・ダリや現代アートに関する本をむさぼるように読んだ。そして、今度は旅費も自分の貯金で工面して、美術館へとたどり着いたのだった。

僕は、ダレの言葉を思い出しながら、この美術館の中を探索してみることにした。最初に出会ったきっかけは『記憶の固執』だった。サルバドール・ダリは本当にたくさんの作品を世に残している。

この美術館にはダリの生涯を通して制作された4000点以上の作品が所蔵されていて、この建物自体がダリの無意識の中にあるようで、ダリの人生が作品を通して見えてくるように思えた。

まず建物の窓から、等身大のダリが潜水服を来てお迎えだ。この元ネタとしては、ダリが潜水服で記者会見をした際に本当に息ができなくて、危うく窒息しそうになったというエピソードがある。なんかそれって見たことある、と思うと笑ってしまった。

進んでいくと、『王家の心臓』という宝石オブジェに目を奪われた。46個のルビー、42個のダイヤモンド、そして4個のエメラルドでできた心臓の宝石オブジェだ。電気仕掛けになっていて、脈を打ちながらドクンドクンと音を出している。

ダミアン・ハーストが〝死〟というタブーをテーマに作品制作をしているのであれば、このダリの作品は〝生命〟の美しさをコンセプトにしているように感じた。

そういえば、ダレが教えてくれたダミアン・ハーストの言葉があったな。

（自分が自分の手で、大きな価値を作り出すんだよ）


ダリが生涯をかけてやり続けたシュルレアリスムとは、1924年にアンドレ・ブルトンが発表した「シュルレアリスム宣言」から始まっている。「意識と無意識の混ざった状態」つまり「夢と現実の混ざった状態」こそが、本当の現実と考えたのだ。

（成功の秘訣は君の全てを目覚めさせることだから）

これはジャクソン・ポロックの教えだけど、まさに、同じだと思った。


『メイ・ウエストの部屋』を覗いたときは、まるで自分がダリの絵の中に入り込んだような感覚になった。

この部屋には面白い仕掛けがある。赤い壁に風景画が2枚飾られ、真ん中には暖炉、そしてその前に唇の形をしたソファが置かれている。ラクダの鑑賞台からその風景を見ると、なんとメイ・ウエストの顔に見えるのだ。

メイ・ウエストはアメリカの女優で、戦前アメリカのマリリン・モンローのような人物だ。メイ・ウエストもまた、スキャンダルなど、ダリにとって理想の要素をあわせもつミューズだったから、彼女をモデルにした作品となっている。

そういえば、アンディ・ウォーホルも言っていた。

(アタクシはね、アートを誰でも楽しめる大衆のものにしたの。この作品はマリリンが死んだ後、すぐに作ったものなのよ)

このメイ・ウエストの唇のソファのオマージュとして、のちにイタリアのデザイナーがマリリン・モンローの唇をモチーフにして発表している。現代アートの巨匠が惹かれる女性はどうやら同じ性質を持っているようだ。


『風の宮殿』という作品は、天井に残されている。

まるで見学者を踏みつけているようなダリの足裏。ダリの体には引き出しが描かれている。ダリ夫婦が天に召されていくような作品だ。

シュルレアリスムの手法は2種類あるという。それは「無意識に描く」と「無意識を描く」ということ。ダリはデペイズマンと呼ばれる「無意識を描く」手法をよく使っている。

それは、あるモチーフを本来あるべき環境から切り離し、別の場所へ移して置くことで衝撃を与える手法だ。この『風の宮殿』はまさにその表現を実践している。

これって……『花束を投げる男』を、イスラエルとパレスチナが分断する分離壁に描いたバンクシーと同じではないか。

順路の先へと足を進める。

頭にパンを載せているマネキンの作品『回顧的女性胸像』は、一度見たら忘れられないほどインパクトがある。

この女性胸像の頭に載っているパンは、男性器を意味し、その上にはダリ作品に度々使われるミレーの『晩鐘（ばんしょう）』のミニオブジェが載っている。首飾りは回転覗き絵で、額に集まる蟻は死を表している。

サルバドール・ダリが晩年まで描き続けたアイコンがある。パン、蟻、虎、引き出し、バッタ、卵。全てダリの無意識が見た世界で、自分なりのシュルレアリスムを生涯かけて突き通すために大切なモチーフだった。

と、セザンヌの言葉が胸に蘇り、ハッとした。

（一つのことをずっとやり続けられるやつは、世の中にはいない）

僕は、ある大切なことに気がついた。

「答えは全てここにあるのでは……？」

これって、今まで学んだことの全てを、サルバドール・ダリの作品を通して、もう一度復習するための最終テストなのではないか。

でも、僕の中で大きな問いが一つだけ残っている。

ダレが、サルバドール・ダリの生まれ変わりって、本当だったのだろうか……？

けれども結局その答えは迷宮入りで、ダレとの再会も叶（かな）わなかった。

とんだ再会⁉

もう夕方近くになって日が沈みそうだ。

そろそろ帰らなくては……。僕は肩を落としながら、この劇場美術館で一番大きな作品の前までたどり着いた。『迷宮』と題されたその巨大な絵は、ニューヨークのメトロポリタン歌劇場で上演された舞台の背景に使われたものだという。

（このダリの絵のように、僕自身も「迷宮」の中に足を踏み入れてしまったのだろうか）

ふとため息をついたとき、不意にあの香水の匂いがした。

「え！」

キョロキョロしても、それらしい人物は見当たらない。

でも、この香水は絶対にそうだ。この懐かしい昭和の香りは……。

そのとき、小さな女の子がトントンと僕の腕を叩いてこう言った。

「ふふふ、知ってる？　お兄ちゃんが立っているちょうどこの真下に、サルバドール・ダリが眠っているんだよ」

僕は足元をゆっくりと見た。

（え！　まさか僕、ダリが眠っているお墓の上に立っているの？）

「そんな!!」

びっくり仰天している僕の姿をどこかから眺めて、ダレは舌を出してニヤニヤ笑っているだろう。

僕はダレと初めて出会ったとき――『記憶の固執』の絵の中にいたときのような、不思議な気持ちになった。

一瞬だけど、ダレの無意識と僕の無意識が繋がった気がした。

（タケオ、ワイは何度も生まれ変わってるねん……

……兄の生まれ変わりとして生きてきたときから、ワイは気づいてん……

……自分は何度も生まれ変わることに……

……だから、絶対どこかでまた会えるで……）

僕は、見えないダレに向かって、今まで言えなかった言葉を夢中で叫んだ。

「ダレ、僕と出会ってくれてありがとう！」

新たな始まり

〈プルルルル、プルルルル……〉

その場に立ち尽くし、泣かないように歯を食いしばっていると、僕のズボンの後ろポケットに入っている携帯が、急に美術館に鳴り響いた。

（こんなときに電話なんて誰だろう……）

「もしもし、嬉野です」

「嬉野係長！　ニューヨーク市長のサルー・バダレ様という方から電話で、マンハッタンのセントラルパークに〝メメモリ〟を1000台置きたいそうです！　今すぐニューヨークへ向かってください！」


僕は足元を眺めながら、クスッと笑った。

心の中で壮大な妄想が膨らんでいたからだ。

僕も少しは、アーティストに近づけたのかもしれない。

THE END

ダレの「現代アートのうんちく話させて」

ダリ劇場美術館へおいでやす

みなさーん。ダレや。
最後まで読んでくれて、ありがとさん！
みんな、ダレ・ロスになってると思うし、最後のうんちく話は、ワイからみんなに話させてや。

ダリ劇場美術館（Dalí Theatre-Museum）は、サルバドール・ダリが生まれ育ったスペイン・カタルーニャ地方のフィゲレスにある。ダリ自身がこの建物を選び、美術館へと改装して、設計にも携わったのよ。

元々は、ダリが子どもの頃に通っていた町の劇場で、ダリが若い頃に最初の展覧会が開催された場所やねん。その古い劇場はスペイン内戦中に焼かれてしまって、廃墟(はいきょ)状態のままやった。

1960年、ダリとフィゲレス市長は、ダリに捧(ささ)げられる美術館として再建することを決定して、1968年に市議会が計画を承認、翌年建設が始まってんで！

建築家はホアキム・デ・ロス・イ・ラミスとアレクサンドル・ボナテッラ。

建物自体も僕ちゃん、ダリの奇想天外なアイデアと芸術的なビジョンを反映して、美術館自体が一つの芸術作品とも言える建築やねん。屋根のところに大きな卵がいっぱい載ってるのがトレードマークなんよ！


この美術館には、サルバドール・ダリの作品の最大かつ最も多様なコレクションが展示されてる。数十年にわたるダリのキャリアの全ての絵画に加えて、ダリの彫刻、立体コラージュ、機械装置、さらにはダリの想像力から生み出された珍品も展示されているんや。

ハイライトは、特定の場所から見るとメイ・ウエストの顔のように見えるカスタムソファ、メイ・ウエスト・リップス・ソファを備えた3次元のリビングルームインスタレーションや。

そして、みんな知らんと踏みつけていってるねんけど、ダリは、今は美術館下の地下墓地に埋葬(まいそう)されている。なんか、ダリらしい最後の演出やろ〜。

ダリはこのような言葉を残してるで。

〝私の美術館は、一つのブロックであり、迷宮であり、偉大なシュルレアリスムのオブジェでありたい。完全に演劇的な美術館になる。それを見に来た人々は、演劇的な夢を見たという感覚を抱いて帰るだろう〟

よかったらいつか、遊びに来てやー。

著者あとがき

もしあなたが「なんのために生きているのか」にまだ気づいていないのなら、まずは世界に目を向けてみることをお勧めします。本当は全ての人が〝ひらめき〟という魔法を持っているから。

そして、もし、あなたが人生で〝ひらめき〟を感じないのなら、もしかしたら誰かの人生を生きているか、何かを押し付けられて、自分の無意識との通信が切り離されているからかもしれない。

なぜなら〝ひらめき〟は自分の無意識からやってくるから。

それに気がついたのは、２００８年に、世界の中心地の一つであるニューヨークで日本人アーティストのサポートを始めてからでした。今までに２０００人以上の新進アーティストの世界進出をアシストをしてきましたが、彼らのほとんどは、〝ひらめき〟を感じ、素直に行動に移していったのです。

人は誰でもアーティストになれる。ダレの教え、それに現代アートを学ぶことで、常識をもぶっ壊すような革命家が生まれてほしいと願っています。

現代アートは決して、とっつきにくいものではありません。そこで私がこだわったのが、笑いと涙、人情味をストーリーに取り入れること。放送作家の砂川一茂さんにお笑いの原点を教わりました。本当にありがとうございました。

カバー絵は、くっきー！さんの素晴らしいアートを載せることができました。ご尽力いただいた吉本興業株式会社さま、ＫＯＭＩＹＡＭＡ ＧＡＬＬＥＲＹの小宮山慶太さん、井出麦さん、この場を借りてお礼をお伝えいたします。漫画家のいがらしゆみこさんからのアドバイス、本文のイラストを担当してくださったいがらしなおみさんのサポートは心強かったです。ユング心理学は柴崎嘉寿隆さんからの教えが基盤となりました。本当にありがとうございました。

また3年前にこの本が誕生するきっかけを創ってくださった土井英司さん、そして執筆の終わりを根気強く見守ってくださった飛鳥新社・編集部の矢島和郎さんに心から感謝を送ります。

この本がきっかけになり、これから１００年続くような何かをが創造されたなら、これ以上の喜びはありません。

アートの名言　まとめ

サルバドール・ダリ

1　天才になりたかったら、天才のふりをすればいい

2　間違いはそのほとんどが神聖なもの。それを修正しようとしないで理解すること

7　人生で起こりうる悪いことは二つしかない。パブロ・ピカソになることか、サルバドール・ダリになれないこと

13　恋はその始まりがいつも美しすぎる、だから結末が決してよくないのも無理はない

41　永遠に、君であれ

パブロ・ピカソ

3 全ての創造行為は、まず第一に破壊行為である
4 明日に延ばしていいのは、やり残して死んでもかまわないことだけだ！
5 探し求めず、見いだすんだ
6 愛は人生で、最も素晴らしい活力をもたらすんだよ

ダミアン・ハースト

8 俺はとにかく問いかけた、死に対してお前が払える最高額はいくらか、ってね
9 アートは常に一種の劇場である
10 偉大な芸術作品とは、鑑賞し、体験し、心に残るもの。コンセプチュアルアートも伝統的な芸術も大して差はないのさ
11 最高であろうと目指すのは誤りで、成功を自分で定義しなくちゃいけない
12 原価と販売価格を考えると、アートというのは最も驚くべき付加価値がつく

フリーダ・カーロ

14 去ることは喜びでありたい、そして絶対に戻りたくない

15 心の中に浮かぶことを全てキャンバスにのせているわ

16 結局、私たちは自分が思っている以上に、耐えることができるものなのよ

17 私は夢を描いたことなんて一度もないわ。自分自身の現実を描いているだけ

18 確実なことは一つもないのよ。すべては変化し、動き、巡り、飛び、いなくなるから

ジャクソン・ポロック

19 僕は絵の具の流れをコントロールできる、そこに偶然はないんだ

20 僕の絵の源泉は無意識なんだ

21 床の上のほうが気持ちが落ち着く。絵にもっと近く、もっと一体化できる気がするから

22 エネルギーと動きを目で見えるように記録し、空間に閉じ込めるんだよ

23　成功の秘訣は、君の全てを目覚めさせることだ

アンディ・ウォーホル

24　もしアンディ・ウォーホルの全てを知りたいのなら、私の絵と映画と私の表面だけを見てくれれば、そこに私がいるはず。裏側には何もないよ

25　誰もが15分以内に有名になる、そんな時代が来る

26　いつまでもウジウジ悩んで惨めな気持ちでいる代わりに、「だから何？（ソー・ホワット）」で終わらせることだってできるんだよ

27　自分について何か書かれたとしても、その内容は気にしちゃいけない。大事なのはどのくらいのスペースが割かれているかしかないのよ

28　人生は、繰り返し見るたびに変化していく映像の集まりのようなもの

バンクシー

29　ほとんどの人間が主体性を使ったことがない、なぜなら誰もそうしろと言われて

こなかったから

30　空に城を建てるのならば、建築許可はいらない

31　世界をよりよい場所にしたいと願う人ほど、危険なものはない

32　朝早く目覚める人間たちが戦争を起こし、人を死なせ、飢餓を起こす

33　何かを発言して、人に聞いてもらおうと思うなら、仮面を被らなければならない。正直でいたいなら、嘘をついて生きなければならない

34　この世界で最大の犯罪は、ルールを破る人たちによってなされるんじゃなく、ルールに従い続ける人たちによってなされる

35　人の思考力が最大になるのは、誇大妄想しているときだ

36　一つの独創的な考えは、1000の意味のない名言に勝る（＊元々はギリシャの哲学者ディオゲネス・ラエルティオスの言葉）

37　強者と弱者の争いから手を引けば、強者の側につくことになる。中立ではいられない

38　才能を持ちながら成功していない人間ほど、この世の中に溢れかえっているものはいない

セザンヌ

39　自分の強さを実感している人は、謙虚になる

40　リンゴ一つでパリを驚かせてみせる

参考文献一覧

C・G・ユング『自我と無意識の関係 新装版』野田倬　訳・人文書院
河合隼雄『ユング心理学入門』岩波現代文庫
河合隼雄『無意識の構造』中公新書
ニコス・スタンゴス　編『20 世紀美術 : フォーヴィスムからコンセプチュアル・アートまで』宝木範義　訳・パルコ
井口壽乃、田中 正之、村上博哉『西洋美術の歴史 8 20 世紀 - 越境する現代美術』中央公論新社
山本浩貴『現代美術史　欧米、日本、トランスナショナル』中公新書
村松和明『もっと知りたいサルバドール・ダリ 生涯と作品』東京美術
ジャン＝ルイ・ガイユマン『ダリ : シュルレアリスムを超えて』伊藤俊治　監修・遠藤ゆかり　訳・創元社
ロバート・ラドフォード『ダリ 岩波 世界の美術』岡村多佳夫　訳・岩波書店
大髙保二郎、松田健児『もっと知りたいピカソ　改訂版』東京美術
ピエール・カバンヌ『ピカソの世紀　キュビスム誕生から変容の時代へ　1881 〜 1937』中村隆夫　訳・西村書店
Jeremy Cooper『Growing Up: The Young British Artists at 50』Prestel
「DAMIEN HIRST」『美術手帖 』2012 年 7 月号　美術出版社
アンドレア・ケッテンマン『フリーダ・カーロ 1907-1954 その苦悩と情熱』ABC Enterprises　訳・Taschen
イサベル・アルカンタラ、サンドラ・エグノルフ『フリーダ・カーロとディエゴ・リベラ』岩崎清　訳・岩波書店
藤枝晃雄『ジャクソン・ポロック 新版』東信堂
エリック・シェーンズ『ウォーホル』水沢勉　訳・岩波書店
宮下規久朗『ウォーホルの芸術　２０世紀を映した鏡』光文社新書
毛利嘉孝『バンクシー　アート・テロリスト』光文社新書
永井隆則『もっと知りたい セザンヌ　生涯と作品』東京美術
浅野春男『セザンヌとその時代』東信堂

ソフィア王妃芸術センター ホームページ https://www.museoreinasofia.es/
MoMA ホームページ　https://www.moma.org/
テート・ブリテンホームページ　https://www.tate.org.uk/art
メキシコ近代美術館 https://mam.inba.gob.mx/home.html

ARISA

ニューヨーク在住の関西人。アートプロデューサー、現代アート専門家、アーティスト人生設計コンサルタント、アートセラピスト。国際的に活動し、若手アーティストがアート界に足を踏み入れる手助けをしている。運営するアーティストチーム(JCAT-NY)には220名以上の日本人アーティストが所属、世界で活躍するアーティストたちを育成。ニューヨークにおける10年におよぶギャラリー経営も地元で評価され、2016年「Time Out」誌でLOVE NEWYORKアワードを受賞、2019年「The Big Issue」紙で特集される。現代アートをわかりやすく伝える手腕にも定評があり、講演会でも積極的に活動。著書に『学校では教えてくれないアーティストのなり方』(いたみありさ名義)がある。

君はリンゴで世界を驚かせるだろう
現代アートの巨匠たちに学ぶビジネスの黄金法則

2024年 5 月 31 日　第 1 刷発行

著者	ARISA
発行者	矢島和郎
発行所	株式会社 飛鳥新社 〒 101-0003 東京都千代田区一ツ橋 2-4-3　光文恒産ビル 電話（営業）03-3263-7770（編集）03-3263-7773 https://www.asukashinsha.co.jp
カバー絵	COOKIE（野性爆弾くっきー！）
協力	吉本興業株式会社 KOMIYAMA TOKYO G
本文イラスト	いがらしなおみ
企画協力	土井英司
装丁	井上新八
本文デザイン	松田喬史（Issiki）
校正	麦秋アートセンター
印刷・製本	中央精版印刷株式会社

ISBN 978-4-86801-012-8